KU-104-091

# Charles
# DE GAULLE

Par Blandine Pénicaud
et Vincent Vidal-Naquet

THE WINCHESTER
CONSTRUCTORY OF ART
AND DESIGN
LIBRARY
WEST SINGU
TEL. 01297 792755

## FIGURESDEL'HISTOIRE
Collection dirigée par Christine Hemar

© HATIER PARIS février 2003                                        ISBN 2-218-73650-0
Toute représentation, traduction, adaptation ou reproduction même partielle, par tous procédés, en tous pays, faite sans autorisation préalable est illicite et exposerait le contrevenant à des poursuites judiciaires. Réf.: loi du 11 mars 1957, alinéas 2 et 3 de l'article 41. Une représentation ou reproduction sans autorisation de l'éditeur ou du Centre français d'Exploitation du Droit de Copie (20, rue des Grands-Augustins, 75006 Paris) constituerait une contrefaçon sanctionnée par les articles 425 et suivants du Code pénal.

Principe de maquette et de couverture : Mateo Baronnet
Mise en pages : Jean-Michel Manguette
Iconographie : Magali Girodet et Sandra André/Hatier illustration
Suivi éditorial : Bernard Delcord

# Charles de Gaulle
## (1890-1970)

« En 1930, l'Europe (…) déclara la guerre à la France. Le général de Gaulle fut mis à la tête de 200 000 hommes et de 518 canons (…). De Gaulle eut vite fait son plan, il fallait sauver Nancy (…) et écraser les Allemands avant leur jonction qui nous serait sûrement funeste… »

Dans cette rédaction de 1905, Charles de Gaulle, jeune général de quinze ans, rêve déjà de sauver la France, trente-cinq ans avant de devenir l'homme du 18 juin. Le destin de cette grande figure de l'histoire de France peut nous y apparaître tout tracé…

En réalité, le chef de la France libre et le fondateur de la V<sup>e</sup> République sera l'homme de tous les paradoxes. Tenant de la discipline la plus stricte par sa formation militaire, il est néanmoins un rebelle. Rebelle lorsqu'il remet en cause la stratégie de l'État-major dans les années trente, mais surtout lorsqu'il « déserte » en juin 1940 et appelle tous les Français à désobéir aux autorités militaires et politiques. Ambitieux, brillant, autoritaire, il a la passion de l'action, mais il traverse de nombreuses périodes de doute et d'abattement. Conservateur par son éducation, il se révèle aussi un formidable visionnaire, en matière de stratégie ou sur l'évolution planétaire du conflit en 1940. Nationaliste convaincu, il est appelé au pouvoir en 1958 par les défenseurs de l'Algérie française. Il mènera pourtant l'Afrique Noire, Madagascar et l'Algérie à l'indépendance.

Sa mère, Jeanne Maillot
(1860-1940).

Son père, Henri de Gaulle
(1848-1932), en 1886.

## Le petit Lillois de Paris

Charles de Gaulle naît à Lille le 22 novembre 1890, dans la maison de sa grand-mère. Une maison bourgeoise où « les portraits d'ancêtres faisaient, dans l'escalier, une galerie pittoresque » : un lointain (et hypothétique) ancêtre défenseur de la ville de Vire contre les Anglais pendant la guerre de Cent Ans, un arrière-grand-père engagé dans l'administration postale des armées napoléoniennes, un grand-père profondément hostile à la Révolution et à ses héritages, auteur d'une monumentale *Histoire de Paris et de ses environs*, une grand-mère directrice de la revue *Le Correspondant des familles*, et prolixe écrivain d'ouvrages religieux et de biographies…

C'est une famille de bourgeois lettrés aux valeurs proches de celles de la noblesse : rigueur, austérité, dignité en sont les maîtres mots.

**Charles à vingt et un mois.**

## La foi catholique et l'amour de la patrie en héritage

Sa mère est une monarchiste convaincue qui élève ses enfants dans le respect d'une foi catholique rigoureuse.

Son père, Henri de Gaulle, est professeur, mais il avait d'abord rêvé d'une carrière militaire. Sa participation à la guerre de 1870 lui a laissé le souvenir

1890
Naissance

## « Une certaine idée de la France »

Toute ma vie, je me suis fait une certaine idée de la France. (...) Ce qu'il y a, en moi, d'affectif imagine naturellement la France, telle la princesse des contes ou la madone aux fresques des murs, comme vouée à une destinée éminente et exceptionnelle (...).

Cette foi a grandi en même temps que moi dans le milieu où je suis né. Mon père, homme de pensée, de culture, de traditions, était imprégné du sentiment de la dignité de la France. Il m'en a découvert l'histoire. Ma mère portait à la patrie une passion intransigeante à l'égal de sa piété religieuse. Mes trois frères, ma sœur, moi-même, avions pour seconde nature une certaine fierté anxieuse au sujet de notre pays. Petit Lillois de Paris, rien ne me frappait davantage que les symboles de nos gloires : nuit descendant sur Notre-Dame, majesté du soir à Versailles, Arc de triomphe dans le soleil, drapeaux frissonnant à la voûte des Invalides. Rien ne me faisait plus d'effet que la manifestation de nos réussites nationales : enthousiasme du peuple au passage du tsar de Russie, revue de Longchamp, merveilles de l'Exposition, premiers vols de nos aviateurs. Rien ne m'attristait plus profondément que nos faiblesses et nos erreurs, révélées à mon enfance par les visages et les propos : abandon de Fachoda, affaire Dreyfus, conflits sociaux, discordes religieuses.

Charles de Gaulle, Mémoires de guerre, Paris, Plon, éd. 1989.

cuisant de la défaite face aux Allemands. En famille, on évoque souvent l'armistice, qualifié de « capitulation déguisée ». Devenu professeur dans un collège de jésuites de la rue de Vaugirard à Paris, il enseigne l'histoire, la philosophie, le latin, le grec et même les mathématiques. Il laisse à ses élèves, dont Georges Bernanos, les futurs généraux de Lattre et Leclerc... ainsi que son fils Charles, le souvenir d'un enseignant érudit, exigeant et passionné, arrivant au cours en fiacre hippomobile, coiffé d'un haut-de-forme. Pendant l'affaire Dreyfus, il manifeste une indépendance d'esprit peu commune en prenant parti, rompant sur ce point avec son milieu, en faveur de l'innocence du capitaine, contre la majorité de l'armée. Henri de Gaulle est conservateur, et républicain de raison car sans illusion sur la possibilité d'un retour à la monarchie.

Même s'il ne partage pas leurs convictions politiques, Charles de Gaulle, à l'âge adulte, maintient des liens très étroits avec ses parents. Son père, qu'il associe à la rédaction de plusieurs travaux historiques, sera pour lui, jusqu'à sa mort en 1932, un conseiller privilégié.

1890
Naissance

1898
Affaire
Dreyfus

Les cinq enfants de Gaulle : Xavier, Marie-Agnès, Charles, Jacques et Pierre, vers 1899.

## Un jeune poète turbulent

Charles vit ses premières années dans le VII<sup>e</sup> arrondissement de Paris, une enfance marquée par les promenades

### À 15 ans, « le général de Gaulle »...

*(Extrait d'un texte d'imagination écrit par Charles de Gaulle à 15 ans, au collège jésuite de l'Immaculée-Conception, en 1905)*

En 1930, l'Europe, irritée du mauvais vouloir et des insolences du gouvernement, déclara la guerre à la France. Trois armées allemandes franchirent les Vosges (...). Le commandement de l'armée la plus forte fut confié au général Manteufell.
Le feld-maréchal et prince Frédéric-Charles se mit à la tête de la seconde (...). En France, l'organisation fut faite très rapidement.
Le général de Gaulle fut mis à la tête de 200 000 hommes et de 518 canons, le général de Boisdeffre commandait une armée de 150 000 hommes et 510 canons (...). Le 10 février, les armées entrè-rent en campagne. De Gaulle eut vite pris son plan, il fallait sauver Nancy, puis donner la main à Boisdeffre et écraser les Allemands avant leur jonction qui nous serait sûrement funeste...

Charles de Gaulle, Lettres, notes et carnets 1905-1918, Paris, Plon, éd. 1980.

Charles de Gaulle roi de France (sous la statue), dans une pièce de théâtre jouée par sa classe de quatrième au collège de la rue de Vaugirard.

1890
Naissance

1900
Collège de
l'Immaculée-
Conception

aux Invalides ou à l'Arc de Triomphe, la scolarité à Saint-Thomas-d'Aquin puis à l'Immaculée-Conception, ainsi que par les vacances familiales à Lille ou sur les plages du Nord.

Charles est le troisième des cinq enfants de Gaulle. Leurs jeux, où celui-ci tient toujours le rôle de la France, sont imprégnés du climat revanchard du tournant du siècle : on joue à la guerre avec passion, contre les Allemands pour reprendre l'Alsace-Lorraine, contre les Anglais pour se venger de l'humiliation de Fachoda qui marqua l'échec de la tentative de colonisation du Soudan par les troupes françaises en 1898.

Le jeune Charles est un élève plutôt turbulent et peu travailleur. En classe, il est dans l'ensemble très moyen.

Il se passionne en revanche pour la littérature et la poésie. Il passe beaucoup de temps à lire et à écrire des poèmes. À l'âge de 14 ans, il rédige une petite pièce comique qui est distinguée par un jury littéraire. On lui demande alors de choisir entre une récompense de 25 francs et la publication de son texte. Le jeune écrivain choisit la gloire plutôt que la fortune. La pièce sera ensuite jouée avec succès par une troupe de cousins lors de vacances familiales dans le Nord. Cette tentation de la littérature ne le quittera jamais.

**Notes de l'Élève** *Charles de Gaulle*

| Discipline | 16 | 15 | 15 | 14 |
|---|---|---|---|---|
| Etude | 15 | 15 | 16 | 15 |

**Résultat des Compositions du Mois**

| MATIÈRE DE LA COMPOSITION | Places obtenues | Notes correspondantes | Nombre de concurrents |
|---|---|---|---|
| Instruction religieuse | | | |
| Philosophie | 7 | 10,75 | 12 | 25 | 25 |
| Histoire | 1 | 15 | | 27 | |
| Allemand | 17 | 5 | 7 | 85 | 22 |
| Mathématiques | 11 | 9 | 14,5 | 29 | 28 |
| Calcul logarithmique | | | | |
| Épure | 10 | 5 | | 76 | |
| Physique et Chimie | 4 | 14 | | 27 | |
| Croquis paysage | 18 | 11 | | 29 | |
| Sciences naturelles | | | | |
| Géographie | | | | |

**NOTES**

| | | | | | |
|---|---|---|---|---|---|
| INSTRUCTION RELIGIEUSE | | | | | |
| MATHÉMATIQUES { Devoirs | | | 15 | 14 | |
| { Interrogations | 16 | 15 | 14,5 | 14 | |
| DESSIN | 13 | | 12 | | |
| PHYSIQUE { Devoirs | | | | | |
| { Interrogations | | | 15 | | 14 |
| PHILOSOPHIE { Devoirs | | | | | |
| { Interrogations | 17 | | 16 | | |
| HISTOIRE { Devoirs | | | | | |
| { Interrogations | 16 | 15 | 16 | 15 | |
| GÉOGRAPHIE | 13 | 12 | 11 | 16 | |
| SCIENCES NATURELLES | 16 | 4 | | | |
| ALLEMAND { Devoirs | | | 5 | | |
| { Interrogations | 15 | | 14 | | |
| { Épure | | | 5 | | |
| EXERCICES PHYSIQUES | | | | | |

*Certifié par le Préfet.*

### OBSERVATIONS DU DIRECTEUR

Charles est un excellent élève, mais il devient
un peu bavard, et s'il continue, il perdra
ainsi du temps. Ce serait fâcheux,
car s'il veut, il peut réussir brillamment.

*A. Pautonnier*

*Voir au dos l'échelle des notes.*

## Une vocation militaire

C'est en classe de seconde qu'il décide de sa vocation de militaire. Il se met enfin, au grand soulagement de son père, à travailler avec énergie en vue du concours de l'école spéciale militaire de Saint-Cyr, où il est admis en 1909. Pourquoi ce choix ? Charles de Gaulle est un jeune homme profondément patriote, marqué par ses lectures de Barrès et de Péguy, les chantres du nationalisme. Il vit ses années de jeunesse dans l'imminence de la guerre, « l'aventure inconnue », qu'il « magnifie à l'avance ». Le goût de l'action le pousse à choisir la carrière militaire. Il devient officier par volonté de prendre part à l'histoire et, si possible, de peser sur elle.

## Saint-Cyrien

À Saint-Cyr, l'élève officier de Gaulle manifeste beaucoup d'enthousiasme pour les exercices militaires ainsi que pour le travail intellectuel. C'est un jeune homme distant, qui se lie peu avec ses camarades. Une caricature publiée dans le journal de l'école en 1910 témoigne de sa passion pour le travail et de son assurance vis-à-vis de ses supérieurs, qui passera parfois plus tard pour de l'arrogance. Elle est sous-titrée ainsi : « Le Cyrard de Gaulle passe une colle d'histoire : l'examinateur n'en mène pas large. »

**La classe de rhétorique (la 1re) de Charles de Gaulle (troisième à gauche au deuxième rang). Il a son père comme professeur (assis au centre), 1904-1905.**

**Bulletin de notes du collège Stanislas, où le jeune Charles prépare Saint-Cyr.**

1890
Naissance

1909
Saint-Cyr

## Fiche signalétique du sous-lieutenant de Gaulle à la sortie de Saint-Cyr, le 1er septembre 1912

**Charles de Gaulle en Saint-Cyrien (1910-1912).**

*(Notes du capitaine)*

| | |
|---|---|
| Conduite | Irréprochable |
| Tenue | Très correcte |
| Intelligence | Très vive |
| Éducation | Soignée |
| Caractère | Droit |
| Attitude | Très belle |
| Zèle | Très soutenu |
| Esprit militaire | Très développé |
| | |
| Physique | Sympathique |
| Aptitude à la marche | Très bonne |
| Résistance à la fatigue | Grande |

*(Valeur d'ensemble)*

Aspirant très bien doué.
Travailleur consciencieux et sérieux.
Mentalité excellente.
Nature calme et énergique.
Fera un excellent officier.

*(Notes du chef de bataillon, directeur des exercices d'infanterie)*

Très militaire, très dévoué, très consciencieux.
Commande avec calme et énergie.
Fera un excellent officier.

Il obtient d'excellentes appréciations, mais également des sobriquets éloquents : « double-mètre », « sot-en-hauteur » (il mesure 1,94 m), ou encore « connétable » (titre du chef suprême des armées dans la monarchie française).

## À Arras sous les ordres du colonel Pétain

Il sort de Saint-Cyr en 1912 avec le grade de sous-lieutenant, et choisit de commencer sa carrière au 33$^e$ régiment d'infanterie d'Arras. Pourquoi n'opte-t-il pas pour la cavalerie, ce corps plus prestigieux auquel il peut prétendre ? « Parce que c'est plus militaire », répond de Gaulle. Le jeune officier pressent que, dans la guerre à venir, l'infanterie sera l'arme principale des combats, et il veut être au cœur de l'action.

Il sert sous les ordres du colonel Pétain, l'un des personnages les plus remarqués de l'armée française. Cet ancien professeur de l'École de guerre est en effet réputé pour la fermeté de son caractère, son autorité et son indépendance d'esprit. À Arras, les relations entre le colonel proche de la retraite et son sous-lieutenant de vingt-deux ans n'auraient pas toutes été militaires : des liaisons féminines les auraient rapprochés.

À propos du jeune officier, le colonel Pétain note : « Très intelligent, aime son

*(Appréciation générale du commandant de l'école)*

A été continuellement en progressant depuis son entrée à l'école, a beaucoup de moyens, de l'énergie, du zèle, de l'enthousiasme, du commandement et de la décision. Ne peut manquer de faire un excellent officier.

Charles de Gaulle, cité par Jean Lacouture, De Gaulle I, Paris, Seuil, 1984.

1890
Naissance

1912
Sous-
lieutenant
au régiment
d'Arras

## Débuts dans l'armée

Quand j'entrai dans l'armée, elle était une des plus grandes choses du monde. Sous les critiques et les outrages qui lui étaient prodigués, elle sentait venir avec sérénité et, même, une sourde espérance, les jours où tout dépendrait d'elle.
Après Saint-Cyr, je fis, au 33e régiment d'infanterie, à Arras, mon apprentissage d'officier. Mon premier colonel, Pétain, me démontra ce que valent le don et l'art de commander.

**Charles de Gaulle,** Mémoires de guerre, Paris, Gallimard, éd. 2000.

**Charles de Gaulle au 33ᵉ Régiment d'infanterie à Arras en 1909 (le premier à gauche au deuxième rang en partant du haut).**

métier avec passion » ; « donne les plus belles espérances pour l'avenir ». De son côté, de Gaulle éprouve une vive admiration pour son supérieur, mais il ne partage pas ses vues stratégiques : Pétain est convaincu que la puissance de feu des armements nouveaux (les mitrailleuses, par exemple) limite les possibilités de mouvement et impose de privilégier la défensive. Le jeune de Gaulle est déjà persuadé que le dernier mot revient à l'offensive, au mouvement.

1890
Naissance

1912
Premières
divergences
de vues
avec Pétain

Le capitaine de Gaulle vers 1915.

## Évocation des terribles offensives de 1915 en Champagne

*(Extrait d'une conférence prononcée par le capitaine de Gaulle à la forteresse d'Ingolstadt devant ses compagnons de prison, en 1917)*

Les fantassins qui y ont pris part et qui y ont survécu se rappellent avec tristesse et amertume ces terrains d'attaque lamentables où chaque jour de nouveaux cadavres s'entassaient dans la boue immonde ; ces ordres d'assaut, coûte que coûte donnés par téléphone par un commandement si lointain, après des préparations d'artillerie dérisoires et peu ou point réglées ; ces assauts sans illusion exécutés contre des réseaux de fils de fer intacts et profonds où les meilleurs officiers et les meilleurs soldats allaient se prendre et se faire tuer comme

# L'ascension d'un jeune officier non conformiste

des mouches dans des toiles d'araignée. (...) (L'infanterie) prise chaque fois entre la certitude de la mort sans aucun résultat à 10 mètres de la tranchée de départ, et l'accusation de lâcheté qu'un commandement trop nerveux et du reste sans illusion lui-même lui prodiguait aussitôt si ses pertes n'étaient pas jugées suffisantes pour que l'on pût se couvrir avec ces morts vis-à-vis des échelons supérieurs.

Charles de Gaulle, cité par Jean Lacouture, De Gaulle I, Paris, Seuil, 1984.

## L'épreuve du feu

Le 3 août 1914, l'Allemagne déclare la guerre à la France.

Le lieutenant de Gaulle participe aux premiers combats. Le 15 août, il est blessé une première fois sous une grêle de balles ennemies sur le pont de Dinant, en Belgique. Rétabli, il fait montre d'un grand courage physique et d'une réelle rapidité de décision dans les batailles, ainsi que d'une rigoureuse intransigeance pour la discipline. Blessé à trois reprises, il ne passera que treize ou quatorze mois au front, dont un à Verdun. Il en retire l'expérience de l'horreur des tranchées et des assauts meurtriers. C'est là qu'en mars 1916, il est laissé pour mort sur le champ de bataille, évanoui, la cuisse transpercée d'un coup de baïonnette. Ramassé par l'ennemi, il est emprisonné en Allemagne jusqu'à la fin de la guerre.

S'il semble peu sensible aux conditions matérielles difficiles de sa détention, sa mise à l'écart de l'action lui est insupportable. Certaines lettres à ses parents témoignent de sentiments désespérés : « Je suis enterré vivant », écrit-il. Tout au long de sa carrière, il connaîtra de semblables périodes d'abattement, lorsqu'il se sentira rejeté du cours de l'histoire. À cinq reprises, il tente de s'évader, sans

1890
Naissance

1916
Prisonnier
en
Allemagne

## Charles de Gaulle s'évade d'un camp de prisonniers allemand, caché dans un panier à linge sale

Au début de juillet 1918, je fis une nouvelle tentative. J'avais remarqué que, chaque lundi matin, un vaste panier contenant le linge sale quittait le camp de Wülzburg. Ce panier, porté par une voiture de corvée, était remis à une blanchisserie de Weissenburg, la petite ville voisine. Ne pourrais-je pas prendre la place du linge et me trouver déposé hors du camp ? (...) Le plan fut exécuté le lundi 7 juillet, et je me trouvai transporté dans le panier de linge jusqu'à Weissenburg puis descendu par une corvée de *landsturms* dans le couloir de la blanchisserie où on me laissa seul. Quelques minutes plus tard, je coupai de l'intérieur la corde qui fermait le couvercle et sortis de la maison, habillé en paisible promeneur. Je traversai le bourg et m'allai cacher jusqu'au soir dans la forêt voisine. Je mis trois nuits à gagner Nuremberg et y entrai à l'aurore du troisième jour. (...) À la gare de Nuremberg, je pris un billet sans difficulté et montai dans l'express de

Francfort, bondé de voyageurs (...). Un peu avant l'arrivée à Aschaffenburg, deux policiers entrèrent dans le wagon. (...) Pas moyen de quitter le wagon. Quand mon tour arriva, (...) je fus invité à montrer mes papiers et, sur mon refus, arrêté, remis à la police d'Aschaffenburg et, là, bientôt identifié.

Charles de Gaulle, en 1927. Cité dans En ce temps-là de Gaulle, n°5.

Les quatre frères de Gaulle – Charles, Xavier, Pierre et Jacques – tous officiers, décorés et vivants après la Grande Guerre (1919).

succès. Il trouve un remède à son amertume dans la lecture, l'écriture et la réflexion. Il recopie des poèmes, rédige une nouvelle dramatique, annote Stendhal ou Clausewitz, un auteur prussien d'ouvrages de stratégie.

Mais ce qui l'occupe surtout, c'est la réflexion sur la guerre en cours : il écrit et organise des conférences pour ses compagnons, impressionnés ou agacés par son autorité. Dans celles-ci, il évoque la souffrance des combattants et il critique les décisions du haut commandement au moment des grandes offensives de 1915. Il analyse également les relations entre l'État-major et le gouvernement en temps de guerre. Pour lui, le pouvoir politique doit assumer la responsabilité de la conduite de la guerre, celle des opérations revenant au commandement militaire. Il développera ces idées dans des ouvrages qui paraîtront plus tard.

Il ne rentre en France qu'après la signature de l'armistice, très déçu de ne pas avoir assisté à la victoire.

Impatient de repartir au feu, le capitaine de Gaulle s'engage en Pologne, dans le conflit qui oppose l'Occident à la Russie bolchevique. Pendant cette campagne, il se fait remarquer par sa forte personnalité et sa distinction, qui en impose. Il participe à des combats qui, au contraire

1890
Naissance

1920
Combat
contre les
bolcheviks
en Pologne

**Mariage de Charles de Gaulle et Yvonne Vendroux le 6 avril 1921.**

### Lettre à sa mère

Novny Dun [?], 18 novembre 1919.

Ma bien chère Maman,

(...) Je suis chargé de diriger ici (près de Modlin) un cours de cent officiers polonais. Durée du cours : un mois. Mes élèves commencent à arriver. Au point de vue de l'emploi, c'est un gros avancement. Mais c'est aussi un gros travail, et cela ne va pas m'aider à préparer tranquillement l'École de guerre (...). Vous savez, au point de vue général, ce que je souhaite que cette année m'apporte à moi-même : une famille, et dans la tranquillité d'un amour profond et sanctifié, le pouvoir de donner à quelque autre tout le bonheur qu'un homme peut donner.

Au revoir, ma bien chère Maman. (...)

Mille baisers et affections à vous, à Papa, à tous.

Votre fils très affectionné et respectueux.

Charles de Gaulle

Charles de Gaulle, Lettres, notes et carnets, 1919-juin 1940, Paris, Plon, 1980.

**Yvonne Vendroux
en 1920.**

de ce qu'il a vécu à Verdun, sont de vastes mouvements désordonnés et approximatifs. Il formule alors pour la première fois l'idée selon laquelle « les chars doivent être mis en œuvre rassemblés et non dispersés », ce qui doit permettre de rendre leurs mouvements décisifs dans les batailles.

1890
Naissance

## Père de famille

Cette période est importante pour lui à un autre titre : il a vingt-neuf ans et, dans des lettres à sa mère, il manifeste la mélancolie du célibataire et le désir de se marier. Profitant d'une permission, la famille de Gaulle organise une rencontre avec une jeune demoiselle de vingt ans. Yvonne Vendroux est jolie, catholique et patriote, fille de notables de Calais. Cette première entrevue pendant laquelle, selon la légende, Charles aurait renversé son thé sur la robe d'Yvonne, conduit, à peine plus d'un mois après, à des fiançailles le 11 novembre 1920.

1921
Mariage

Le mariage est célébré à Calais en avril 1921. Le jeune couple s'installe à Paris. Trois enfants naissent entre 1921 et 1928 : Philippe, Élisabeth et Anne. Cette dernière, née trisomique, tient une place toute particulière dans la vie de son père et, jusqu'à sa mort en 1948, elle ne sera jamais séparée de ses parents. C'est pour lui permettre de vivre au calme et au

## « La pauvre petite Anne »

« La petite Anne », comme dit Yvonne, « la pauvre petite Anne », comme Charles la nomme quand il parle d'elle, doit désormais rester sous la garde constante de la dévouée Mlle Potel, qui lui prodigue des trésors de soins et de tendresse...

Anne de Gaulle et son père sur la plage de Bénodet, dans le Finistère, pendant l'été 1933.

Philippe de Gaulle en 1922.

grand air que les de Gaulle, en 1934, achètent *La Boisserie*, une vaste demeure sans confort située dans un village austère de Haute-Marne, Colombey-les-deux-Églises. Cette maison devient bientôt le centre d'une vie de famille que Charles de Gaulle, qui forme avec son épouse un couple conventionnel et uni, affectionne particulièrement. Père attentif à l'éducation de ses deux aînés, avec des conceptions très hiérarchiques de la paternité, il maintiendra des relations étroites avec ses enfants parvenus à l'âge adulte, comme en témoigne l'importante correspondance qu'il leur adresse, quelles que soient les circonstances.

## Le capitaine de Gaulle, poulain du maréchal Pétain ?

Après avoir donné à Saint-Cyr, avec une éloquence remarquée, une série de conférences d'histoire, Charles de Gaulle entre en 1922 comme élève à l'École de guerre, la prestigieuse institution du Champ-de-Mars qui ouvre aux plus importantes fonctions dans l'armée. Il en sort trois ans plus tard avec la faible mention « assez bien », que lui valent ses mauvais rapports avec ses maîtres. On lui reproche son manque de conformisme en matière de stratégie, et son attitude de supériorité arrogante (il est qualifié de « Roi en exil »). À propos de

Charles, quand il est là, tous les soirs vers 6 heures, la prend un long moment sur ses genoux et parvient à la faire rire en lui chantant – je ne sais pas l'origine de ce refrain – « Ou Pachou Pachou Paya » indéfiniment répété, ou bien encore, en la regardant passionnément dans les yeux : « La peinture à l'huile, c'est plus difficile, mais c'est bien plus beau que la peinture à l'eau ».

Entretien avec Jacques Vendroux, frère d'Yvonne. Cité par Jean Lacouture dans De Gaulle I, Paris, Seuil, 1984.

1890
Naissance

1922
École de guerre

Commandant de Gaulle
St. Major du Maréchal Pétain
4 bis Boul. des Invalides
Paris

## Pétain par de Gaulle

C'était un homme exceptionnel. C'était un chef exceptionnel, je n'ai pas changé d'avis. Le malheur a voulu, pour la France et pour lui-même, qu'il soit mort en 1925 et qu'il ne l'ait pas su. J'ai assisté à cela et, comme j'avais

**Lettre du maréchal Pétain au commandant de Gaulle, le 20 mars 1925.**

Continuez à faire du
bon travail.
Bien cordialement
Ph. Pétain

Il est entendu, n'est-ce pas,
que vous ne communiquez
à personne ce travail qui
doit rester entre nous

**Le commandant de Gaulle en compagnie du maréchal Pétain vers 1925-26.**

de l'affection pour lui, j'en ai été très malheureux. Ça s'est passé de la façon suivante : en 1925, il s'est laissé circonvenir par Painlevé et par Briand pour aller au Maroc exécuter ce pauvre Lyautey. Il y est allé. Il s'est prêté à ça ! Quand il est revenu, il n'était pas content de lui. Il a voulu être académicien, lui qui n'avait jamais écrit de sa vie... Puis ministre... Ministre de M. Doumergue, vous vous rendez compte ! Il l'a été. Il courait après les honneurs, et la « maréchale » courait devant lui, encore plus vite !

Extrait d'un entretien de Charles de Gaulle avec Marcel Jullian, en 1968. Cité par Jean Lacouture, De Gaulle I, Paris, Seuil, 1984.

cette mention, qui aurait dû empêcher de Gaulle d'accéder aux hautes responsabilités, le maréchal Pétain, le glorieux vainqueur de Verdun, parle alors de scandale et intervient en sa faveur auprès de ses professeurs.

Ainsi Pétain manifeste-t-il à plusieurs reprises l'estime qu'il porte à de Gaulle, tant pour ses dons de commandement et son indépendance que pour ses talents d'écrivain (il a publié son premier livre en 1924 : *La discorde chez l'ennemi*). Les faveurs répétées du chef suprême de l'armée permettent au capitaine de Gaulle de prendre sa revanche sur la hiérarchie militaire et d'accélérer son ascension dans la carrière.

En 1925, Pétain, qui prépare son entrée à l'Académie française, intègre Charles de Gaulle à son état-major et le charge d'écrire pour lui une histoire du soldat français. Il l'impose même à l'École de guerre en 1926, pour des conférences sur le commandement, devant l'ensemble des élèves et un parterre de généraux, en le présentant comme « l'officier le plus intelligent de l'armée française ». Que dire de l'exaspération des professeurs qui l'avaient écarté trois ans plus tôt...

Et en 1931, Pétain fait désigner de Gaulle au secrétariat de la Défense nationale, poste qu'il conserve jusqu'en 1937.

1890
Naissance

1925
État-major
de Pétain

## Charles de Gaulle favorable à l'alliance russe

Paris, 20 décembre 1936

Ma bien chère Maman,

Voici venir Noël, que nous passerons, quant à nous, de la façon la plus simple. Nous irons à la messe de minuit à Sion et nous réveillonnerons à la maison avec Suzanne et Jean Rérolle (...).
Vous me demandez, ma bien chère Maman, ce que je pense du « pacte franco-russe » ? Ma réponse sera très simple. Nous allons rapidement à la guerre contre l'Allemagne et, pour peu que les choses tournent mal pour nous, l'Italie ne manquera pas d'en profiter et de nous donner le coup de pied de l'âne. Il s'agit de survivre, tout le reste n'est que littérature (...). Nous n'avons pas les moyens de refuser le concours des Russes, quelque horreur que nous ayons pour leur régime. (...)
Il faut avoir le courage de regarder les choses en face. Tout doit être en ce moment subordonné à un seul plan : grouper contre l'Allemagne tous ceux qui lui sont opposés (...).

Ici, les enfants vont bien. Philippe vient d'être premier en histoire et géographie. Au revoir, ma bien chère Maman. Nous vous embrassons tendrement. Mille choses de notre part à Marie-Agnès, à Alfred et aux enfants.

Votre fils très affectionné et respectueux.

Charles

Charles de Gaulle, Lettres, notes et carnets II, Paris, Plon, 1980.

Cependant, de son côté, Charles de Gaulle se défait très vite de l'influence de Philippe Pétain, dont les théories militaires sont à l'opposé des siennes.

L'écart se creuse assez rapidement entre les deux hommes et, lorsque Pétain propose à quelqu'un d'autre de remanier l'étude sur le soldat, de Gaulle refuse tout net et reprend son manuscrit. La rupture est totale quand il le publie en 1938, sous le titre de *La France et son armée*, sans en avertir préalablement le maréchal.

## Une nouvelle donne stratégique après la Grande Guerre

Depuis sa captivité en 1916, de Gaulle mène une réflexion sur la stratégie et la conduite de la guerre, dans un contexte bouleversé par le premier conflit mondial. Tout d'abord, l'utilisation du moteur dans l'armement est une véritable révolution. Le char d'assaut est né en 1916, pour permettre aux fantassins de progresser d'une tranchée à l'autre en limitant les pertes humaines. De même, la toute jeune aviation a montré son efficacité dans la guerre de position ; cantonnée d'abord à un rôle d'observation, elle fut rapidement utilisée pour bombarder les tranchées ennemies.

Après la guerre, l'intérêt stratégique de ces armes nouvelles est largement sous-estimé, particulièrement en France.

**La famille Vendroux en 1932 à Charleville-Mézières. Charles de Gaulle est assis à gauche, Yvonne de Gaulle est debout, à droite de la balustrade.**

## Formation politique

Hitler approchait du pouvoir.
À cette époque, je fus affecté
au secrétariat général de la
Défense nationale, organisme
permanent dont le président du
Conseil disposait pour la préparation à la guerre de l'État et de
la nation. De 1932 à 1937, sous
quatorze ministères, je me trouvai mêlé, sur
le plan des
études, à toute
l'activité poli-
tique, technique
et administra-
tive, pour ce qui
concernait la
défense du
pays.
J'eus, notam-
ment, à con-
naître des plans
de sécurité et
de limitation
des armements
qu'André
Tardieu et Paul
Boncour
présentèrent
respectivement
à Genève ;
à fournir au
cabinet
Doumergue des
éléments pour
ses décisions,
quand il choisit

de prendre une autre voie après
l'avènement du Führer (...).
Les travaux que j'avais à faire,
les délibérations auxquelles
j'assistais, les contacts que je
devais prendre, me montraient
l'étendue de nos ressources,
mais aussi l'infirmité de l'État.

Charles de Gaulle, *Mémoires de guerre*,
Paris, Gallimard, éd. 2000.

L'État-major opte pour une conception purement défensive, dont Pétain est le principal artisan. On se prépare à une guerre immobile à l'abri de fortifications (la ligne Maginot qui protège les frontières du Nord-Est en laissant de côté les Ardennes doit rendre le territoire inviolable), et l'on écarte toute éventualité de mouvement dans les combats. Les armes nouvelles qui permettent un déplacement rapide ne se voient de ce fait assigner qu'une faible place. Les blindés ne sont destinés qu'à servir d'appui à l'infanterie, et l'armée de l'air, créée en France en 1933, ne doit avoir qu'un rôle défensif face à l'aviation ennemie.

1890
Naissance

## De Gaulle, théoricien militaire « en croisade » pour les chars d'assaut

1931-1937
Secrétariat
général de
la Défense
nationale

En 1933, le lieutenant-colonel de Gaulle travaille au secrétariat général de la Défense nationale, en charge de l'élaboration d'une loi sur l'organisation de la France en temps de guerre. Il s'agit pour lui d'un véritable apprentissage politique : il participe à des délibérations avec les plus hauts personnages du pays, traite des dossiers sur les problèmes les plus vastes, étudie de près les rouages de l'État.

**Charles et Yvonne de Gaulle à *La Boisserie* (Colombey-les-deux-Églises) au milieu des années 30.**

## Portrait du « maître » dont la France a besoin

Il faut qu'un maître apparaisse, indépendant en ses jugements, irrécusable dans ses ordres, crédité par l'opinion. Serviteur du seul État, dépouillé de préjugés, dédaigneux des clientèles ; commis enfermé dans sa tâche, pénétré de longs desseins, au fait des gens et des choses du ressort ; faisant corps avec l'armée, dévoué à ceux qu'il commande, avide d'être responsable ; homme assez fort pour s'imposer, assez habile pour séduire, assez grand pour une grande œuvre, tel sera le ministre, soldat ou politique, à qui la patrie devra l'économie prochaine de sa force.

Charles de Gaulle, extrait de Vers l'armée de métier, 1934. Cité par Jean Lacouture, De Gaulle I, Paris, Seuil, 1984.

De Gaulle se lance auprès de l'opinion et des parlementaires dans une véritable campagne publique en faveur de la mécanisation de l'armée. Pour lui, celle-ci doit être totalement réorganisée, à l'initiative du pouvoir politique. Il demande la création de divisions blindées autonomes, conduites par des experts, ce qui doit mener à une professionnalisation des effectifs. Il développe ses idées dans *Vers l'armée de métier*, paru en 1934. Il obtient le soutien de quelques parlementaires, en particulier Paul Reynaud. L'hostilité est cependant très forte dans les milieux politiques, mais surtout à l'État-major. Pour beaucoup, en effet, une armée de métier constituerait une menace pour la République.

En Allemagne, Hitler, lui, a établi un vaste programme de construction de chars. En 1936, la remilitarisation de la Rhénanie par les *Panzerdivisionen*, les troupes blindées nazies, fait prendre conscience de la gravité du péril. Le Front populaire, nouvellement élu, lance un programme de réarmement important et prévoit la fabrication de 3 000 chars. Mais la doctrine ne change pas : ces blindés doivent être répartis dans les divisions d'infanterie, ce qui les prive de leur pouvoir offensif. De Gaulle a perdu sa première bataille politique, il n'y aura pas en France de « moteur combattant » pour la guerre qui s'annonce.

*La Boisserie* à Colombey-les-deux-Églises.

1890
Naissance

1934
*Vers
l'armée
de métier*

## « Une armée des machines » pour « le plus violent » des conflits.

*(Extrait de* L'Avènement de la force mécanique, *janvier 1940)*

Le conflit présent sera tôt ou tard marqué par des mouvements, des surprises, des irruptions, des poursuites, dont l'ampleur et la rapidité dépasseront infiniment celle des plus fulgurants événements du passé. Beaucoup de signes annoncent déjà ce déchaînement des forces nouvelles (...).
Ne nous y trompons pas ! Le conflit qui est commencé pourrait bien être le plus étendu, le plus complexe, le plus violent de tous ceux qui ravagèrent la terre. La crise politique, économique, sociale, morale dont il est issu revêt une telle profondeur et présente un tel caractère d'ubiquité qu'elle aboutira fatalement à un bouleversement complet de la situation des peuples et de la structure des États. Or, l'obscure harmonie des choses procure à cette révolution un instrument militaire – l'armée des machines – exactement proportionné à ses colossales dimensions. Il est grand temps que la France en tire la conclusion.

Cité par **Jean Lacouture**, De Gaulle I, Paris, Seuil, 1984.

## Un colonel indiscipliné

Le 1er septembre 1939, les tanks allemands, soutenus par l'aviation, envahis-
sent la Pologne. C'est l'application du
*Blitzkrieg* (guerre-éclair) mis au point par
les stratèges du Reich.

Deux jours plus tard, la France et
l'Angleterre déclarent la guerre à
l'Allemagne. C'est en France le début
d'une « drôle de guerre » où l'armée, à
l'abri de la ligne Maginot, attend les divisions allemandes qui ne viennent pas.

De Gaulle rédige un rapport, envoyé à
toutes les personnalités politiques et
militaires, où il dénonce l'incapacité et
l'aveuglement de l'État-major et réclame
un changement total de stratégie. Il réussit à convaincre Léon Blum, qui n'exerce
plus une très grande influence à la
Chambre en ce début de 1940, mais ce
texte est surtout reçu comme une
marque d'incroyable impudence et d'in-
discipline effrontée de la part de ce
simple colonel.

Le 10 mai 1940, les troupes allemandes
lancent leurs chars et leurs avions sur la
France. Le front est rompu de toutes
parts, c'est la débâcle. De Gaulle, investi
depuis peu du commandement par intérim de la 4e division cuirassée, dirige la
bataille de Montcornet près de Laon. Il
réussit à ralentir l'avance des *Panzer*
allemands par le déploiement d'une centaine
de chars. Weygand, le généralissime,

Le colonel de Gaulle
présente ses chars
au Président
de la République,
Albert Lebrun.
(23 octobre 1939).

1890
Naissance

1940
Commandant
de la 4e
division
cuirassée

## Première rencontre avec Winston Churchill en juin 1940

M. Churchill me reçut à Downing Street. C'était la première fois que je prenais contact avec lui. L'impression que j'en ressentis m'affermit dans ma conviction que la Grande-Bretagne, conduite par un pareil lutteur, ne fléchirait certainement pas. M. Churchill me parut être de plain-pied avec la tâche la plus rude, pourvu qu'elle fût aussi grandiose. L'assurance de son jugement, sa grande culture, la connaissance qu'il avait de la plupart des sujets, des pays, des hommes qui se trouvaient en cause, enfin sa passion pour les problèmes propres à la guerre, s'y déployaient à leur aise. Par-dessus tout, il était, de par son caractère, fait pour agir, risquer, jouer le rôle, très carré et sans scrupule. Bref, je le trouvai bien assis à sa place de guide et de chef. Telles furent mes premières impressions.

Charles de Gaulle, *Mémoires de guerre*, Paris, Plon, 1989.

le gratifie d'un « Vous avez sauvé l'honneur ». Pour ce fait d'armes, de Gaulle, à quarante-neuf ans, accède au grade de général de brigade à titre temporaire.

1890
Naissance

## De Gaulle
## entre au gouvernement

Le 6 juin, de Gaulle entre au gouvernement de Paul Reynaud comme sous-secrétaire d'État à la Défense nationale. Il se rend à Londres où il rencontre Winston Churchill qui vient d'être nommé Premier ministre. Les deux hommes « accrochent » tout de suite, selon l'expression de de Gaulle. « Il est né pour le grandiose » dit-il, et Churchill de son côté s'exclame : « C'est un homme à ma taille ! ». À Londres, les discussions portent sur un étonnant projet d'union de la France et de l'Angleterre : les deux pays décideraient la fusion de leurs pouvoirs publics, unissant complètement leurs destins. De Gaulle y voit surtout la possibilité pour la France de continuer la lutte contre l'Allemagne. Le projet est accueilli avec enthousiasme par Paul Reynaud, mais il est brutalement rejeté en conseil des ministres. Sentant qu'une majorité de son gouvernement est prête à abandonner le combat, le président du Conseil démissionne le 16 juin.

1940
Sous-secrétaire
d'État à la
Défense
nationale

**Le gouvernement de Paul Reynaud en juin 1940. Au fond, à droite, le général de brigade à titre temporaire de Gaulle.**

## L'appel du 18 juin 1940

Les chefs qui, depuis de nombreuses années, sont à la tête des armées françaises, ont formé un gouvernement. Ce gouvernement, alléguant la défaite de nos armées, s'est mis en rapport avec l'ennemi pour cesser le combat. (...) Mais le dernier mot est-il dit ? L'espérance doit-elle disparaître ? La défaite est-elle définitive ? Non ! (...) Car la France n'est pas seule. Elle n'est pas seule ! Elle n'est pas seule ! Elle a un vaste empire derrière elle. Elle peut faire bloc avec l'Empire britannique qui tient la mer et continue la lutte. Elle peut, comme l'Angleterre, utiliser sans limite l'immense industrie des États-Unis.(...) Cette guerre est une guerre mondiale. Toutes les fautes, tous les retards, toutes les souffrances n'empêchent pas qu'il y a, dans l'univers, tous les moyens pour écraser un jour nos ennemis. Foudroyés aujourd'hui par la force mécanique, nous pourrons vaincre dans l'avenir par une force mécanique supérieure. Le destin du monde est là. Moi, général de Gaulle, actuellement à Londres, j'invite les officiers et les soldats français qui se trouvent en territoire britannique ou qui viendraient à s'y trouver, avec leurs armes ou sans leurs armes, j'invite les ingénieurs et les ouvriers spécialistes des industries d'armement qui se trouvent en territoire britannique ou qui viendraient à s'y trouver, à se mettre en rapport avec moi.

Quoi qu'il arrive, la flamme de la résistance française ne doit pas s'éteindre et ne s'éteindra pas.

Demain, comme aujourd'hui, je parlerai à la radio de Londres.

*Discours du général de Gaulle radio-diffusé par la BBC.*

### L'homme du 18 juin

Le 16 juin 1940, le maréchal Pétain succède à Paul Reynaud à la présidence du Conseil. Le nouveau gouvernement rédige la demande d'armistice et ordonne l'arrêt des combats.

Charles de Gaulle prend aussitôt sa décision. Le 17 juin à 9 heures, accompagné de son aide de camp, il quitte Bordeaux où le gouvernement s'est réfugié après la débâcle, dans un avion mis à sa disposition par Churchill. À Londres, de Gaulle se sent « seul et démuni de tout, comme un homme au bord d'un océan qu'il prétendrait traverser à la nage. » Il a en poche la clef d'un petit appartement londonien prêté par l'un de ses collaborateurs, ainsi qu'une somme de 100 000 francs remise par Paul Reynaud.

En quittant la France sans aucun ordre de mission, de Gaulle rompt avec la légalité. Il est un déserteur. Sa décision s'explique par son refus de la défaite, mais surtout par son refus de la désintégration de l'État : pour lui, le gouvernement Pétain ne peut parler au nom de la Nation parce qu'il agit contrairement à l'honneur et à l'intérêt du pays. Par conséquent, de Gaulle éprouve la ferme conviction d'incarner lui-même la légitimité, d'être littéralement la France.

**De Gaulle au micro de la BBC.**

Londres, juillet 1940, devant l'affiche reproduisant *L'Appel* du général de Gaulle.

### De Gaulle vu par un jeune Français de dix-huit ans

*(En l'occurrence, François Jacob, futur prix Nobel de biologie)*

Pendant cette marche à travers Londres, après mon engagement, (...) je m'étais mis à ruminer, sur le rythme de mon pas, sur le thème de ce nom : Gaulle, Gaule, goal, Gogol, Gaugaulle, goménol, Goth, Gotha, gothique, Golgotha, Golgothique, Gaullegotha, Gaullegothique. (...) Et ce fut bien un personnage gothique que je découvris (...). C'était la France même qui se dressait dans ce coin d'Angleterre. On en avait la chair de poule. Brève allocution du Général. Impressionnant personnage. Immense, avec un nez immense, des paupières lourdes, la tête rejetée en arrière. Debout, les jambes légèrement écartées, il avait la majesté d'une cathédrale gothique. La solidité d'un pilier gothique. Avec des gestes lents et gauches qui dessinaient des ogives gothiques, des arcs, des vaisseaux, des portails gothiques. Sa voix même, profonde, hachée, semblait ricocher sous des voûtes, comme un chœur au fond d'une nef gothique. Il parla. Il fulmina. Il tonna contre le gouvernement Pétain. Il dit les raisons d'espérer. Il prophétisa. Il brassa le monde, les armées, les forces, les peuples. (...) Il nous promit des combats, des victoires. La victoire. Puis le général repartit à grands pas.

Cité par **O. Rudelle**, De Gaulle pour mémoire, Paris, Gallimard, 1990.

Churchill lui apporte un soutien immédiat : il lui tend le micro de la BBC. Le soir du 18 juin, dans le studio 4B de la radio anglaise, le Général lance l'*Appel*. Au nom de la France, il affirme le caractère mondial de la guerre et la nécessité de continuer le combat en s'appuyant sur l'empire colonial et les Alliés. L'*Appel* est peu entendu mais davantage lu : quelques journaux, français et anglais, le publient dans leurs colonnes le lendemain.

Et dès le 19 au matin, les premiers volontaires se présentent au 8, Seamore Grove, dans l'appartement de deux pièces où, ce même jour, le rejoignent sa femme et ses enfants tout juste débarqués de Bretagne. La France libre est née. À Vichy, l'*Appel* est considéré comme un acte de trahison. De Gaulle est déchu de la nationalité française, puis condamné à mort le 2 août. Il ne remettra pas les pieds en France pendant quatre ans, et il ne peut assister à l'enterrement de sa mère, morte en juillet 1940.

## Le chef de la France libre

Au début, les ralliements sont peu nombreux : lorsque de Gaulle, le 14 juillet, passe en revue les premiers contingents des Forces françaises libres devant la statue de Foch, il ne peut compter que sur

1890
Naissance

1940
Condamné
à mort par
Vichy

## De Gaulle vu par David Astor,
## un libéral anglais proche de la France libre

Le peuple anglais admirait de Gaulle, compagnon des plus mauvais jours, et respectait son courage. Dans les milieux politiques, on ne critiquait ni ses idées, ni son personnage, mais le peu de sympathie qu'il montrait pour la Grande-Bretagne. C'était cela le seul vrai grief. Pour un allié et pour un hôte, on le trouvait bien acariâtre... (...) Mais le plus surprenant, dans les rapports entre de Gaulle et les autres, c'était l'attitude des Français. Nous étions constamment surpris de la malveillance de tous ceux qu'on peut appeler les intellectuels, de presque tous les hommes politiques, de beaucoup de militaires. Cette défiance qu'il suscitait parmi les membres les plus prestigieux de la communauté française de Londres ne pouvait manquer de nous frapper. Ce n'est pas avec les Britanniques, c'est avec les Français qu'il a eu surtout maille à partir chez nous. Et si ces conflits n'ont pas été plus publics, c'est en raison des pressions exercées par les Britanniques pour ramener le calme.

Propos cités par Jean Lacouture, De Gaulle I, Paris, Seuil, 1984.

7 000 hommes, « le tronçon du glaive »…
Ces troupes hétéroclites sont composées
de soldats rescapés de Dunkerque après
l'invasion allemande ou évacués de
Norvège, d'élèves aviateurs, et surtout de
pêcheurs normands, vendéens ou bre-
tons (dont cent vingt-sept de l'île de
Sein, presque toute la population mas-
culine de l'île)… Parmi eux, aucun des
soldats qui ont servi sous ses ordres au
printemps 1940 : ils ont gardé le souvenir
parfois cuisant de son autoritarisme.

Selon le Général, ces premières troupes
ne sont rien moins que la France, avec
Londres pour capitale. Cette idée folle, il
s'acharnera à la faire accepter. Churchill,
après lui avoir déclaré : « Vous êtes tout
seul ? Eh bien, je vous reconnais tout
seul ! », tient officiellement de Gaulle
pour le « chef de tous les Français libres,
où qu'ils se trouvent, qui se rallient à lui
pour la défense de la cause alliée ».

1890
Naissance

1940
Chef de la
France libre

Parmi ces Français libres, certains
accompagneront de Gaulle durant la
suite de sa vie politique : Geoffroy de
Courcel, Gaston Palewski, Pierre Lefranc,
Jacques Soustelle.

Les moyens matériels sont au départ
bien modestes : l'embryon d'État que de
Gaulle met en place prend ses bureaux
dans un appartement d'une bâtisse com-
merciale près de la Tamise, avec pour
tout secrétariat une machine à écrire

**De Gaulle dans son
bureau de Carlton
Gardens, photogra-
phié par le portrai-
tiste officiel de la
famille royale
anglaise.**

Les généraux de Gaulle
et Spears sur le bateau en route
vers Dakar (septembre 1940).

## « C'était en Afrique que nous, Français, devions poursuivre la lutte »

Si j'étais, à d'autres égards, assailli de perplexités, il n'y avait, quant à l'action immédiate à entreprendre, aucun doute dans mon esprit. (...) C'était en Afrique que nous, Français, devions poursuivre la lutte. (...)

Dans les vastes étendues de l'Afrique, la France pouvait, en effet, se refaire une armée et une souveraineté, en attendant que l'entrée en ligne d'alliés nouveaux, à côté des anciens, renversât la balance des forces. Mais alors, l'Afrique, à portée des péninsules : Italie, Balkans, Espagne, offrirait, pour rentrer en Europe, une excellente base de départ qui se trouverait être française. (...) Participer avec des forces et des terres françaises à la bataille d'Afrique, c'était faire rentrer dans la guerre comme un morceau de France. C'était défendre directement ses possessions contre l'ennemi. C'était, autant que possible, détourner l'Angleterre et, peut-être un jour, l'Amérique, de la tentation de s'en assurer elles-mêmes pour leur combat et pour leur compte. C'était, enfin, arracher la France libre à l'exil et l'installer en toute souveraineté en territoire national.

Charles de Gaulle, Mémoires de guerre, Paris, Plon, 1989.

posée sur une caisse dans le couloir. Un peu plus tard arrivera une aide financière du Trésor britannique à la France libre (remboursée par la France après la guerre), virée chaque mois sur le compte du général de Gaulle à la Banque d'Angleterre. Mais, pour beaucoup de Français, la France libre, c'est d'abord une voix. Celle du Général qui, au micro de la BBC, s'adresse aux Français. Cette voix, vibrante d'indignation et de patriotisme après l'armistice, se fait entendre tout au long de la guerre.

## Les premières opérations de la France libre

De Gaulle veut donner une base territoriale à la France libre. Il cherche pour cela à se gagner l'Empire. Ses appels à l'insubordination coloniale vis-à-vis de Vichy ont conduit au ralliement de terres lointaines comme le Tchad et les Nouvelles-Hébrides, mais restent lettre morte auprès des chefs militaires d'Afrique du Nord. Or, l'Afrique, et plus particulièrement le Maghreb, constitue pour de Gaulle l'objectif premier, à la fois réservoir d'hommes et tremplin pour la reconquête de la France.

En septembre 1940, il tente de rallier Dakar, avec l'aide des Anglais. C'est un échec retentissant. La solidarité de Churchill ne se dément pas, mais les

1890
Naissance

1940
Dakar

### Roosevelt, les Français et de Gaulle

*(Dialogue entre André Philip, envoyé en mission à Washington par de Gaulle, et le président Roosevelt, en novembre 1942)*

ROOSEVELT – J'ai bien fait de prendre Darlan, j'ai ainsi sauvé des vies américaines.

PHILIP – Je ne suis pas d'accord. L'effet de la nomination de Darlan a été déplorable sur la Résistance française.

ROOSEVELT – Ça m'est égal, l'important pour moi est d'arriver à Berlin, le reste m'est indifférent. Darlan me donne Alger, vive Darlan ! Si Laval me donne Paris, vive Laval ! Je ne suis pas comme Wilson, je suis un réaliste.

PHILIP – J'ai trop entendu parler de « réalisme » en France. C'est un mot qui a couvert toute la politique défaitiste de Pétain. Je n'aime pas entendre ce mot-là.

ROOSEVELT – Quand nous entrerons en France, nous userons du droit de l'occupant. Je ne veux pas reconnaître de Gaulle, car ce serait une atteinte aux libertés des Français en leur imposant un gouvernement. Je n'en reconnaîtrai aucun et, en vertu

De Gaulle et Churchill à Londres en 1940.

du droit d'occupation, les Américains resteront en France jusqu'à ce que des élections libres y soient organisées.

PHILIP – (...) Si les Américains viennent pour occuper le pays, leur occupation ne sera pas davantage tolérée que l'occupation allemande.

ROOSEVELT – Je parlerai au peuple français à la radio et il fera ce que je voudrai.

Cité par J.-L. Crémieux-Brilhac dans La France libre, Paris, Gallimard, 1996.

critiques acerbes fusent, surtout depuis les États-Unis. Néanmoins, à la même période, les Français libres (dont Philippe de Hauteclocque dit « Leclerc ») sont accueillis en libérateurs en Afrique équatoriale. Le général de Gaulle reçoit là-bas ses premières ovations populaires et découvre combien il apprécie ce contact particulier avec les foules.

## Face à Churchill et à Roosevelt

De Gaulle se présente en champion de l'indépendance nationale vis-à-vis de l'ennemi, mais aussi des Alliés. Il s'efforce de les empêcher de profiter de sa faiblesse pour empiéter sur les intérêts et les positions de la France dans le monde. Il cherche également à imposer la France libre comme un allié à part entière dans la lutte anti-nazie.

Avec Churchill, le premier affrontement a lieu pendant l'été 1941, à propos du Moyen-Orient. Après une intervention franco-anglaise contre les troupes de Vichy, l'Angleterre signe un traité d'armistice séparé qui lui livre la Syrie et le Liban (deux pays pourtant sous contrôle de la France), sans que soient évoqués les droits des Français libres. L'entrevue qui suit ces événements est d'une telle violence qu'elle met en fuite les deux interprètes… Jusqu'à la fin de la guerre, les relations restent houleuses entre

1890
Naissance

1941
Londres

## De Gaulle ou Giraud...

À de nobles exceptions près, les journaux et les commentateurs en Amérique et, même, en Grande-Bretagne ne paraissaient pas mettre en doute que l'unité française dût se faire autour de Giraud. Presque tout ce que l'on trouvait à lire et à entendre étalait à mon endroit les jugements les plus sévères. Certains disaient : « Déplorable orgueil », ou bien « ambition déçue ». Mais la plupart avançaient que j'étais candidat à la dictature ; que mon entourage, noyauté de fascistes et de cagoulards, me poussait à instituer en France, lors de la Libération, un pouvoir personnel absolu ; qu'au contraire, le général Giraud, soldat sans prétention ni intention politique, était le rempart de la démocratie ; que le peuple français pouvait faire confiance à Roosevelt et à Churchill pour m'empêcher de l'asservir.

Charles de Gaulle, *Mémoires de guerre*, Paris, Plon, 1989.

**Couverture d'une
brochure éditée par
des collaborateurs
parisiens (1943).**

**Rencontre tendue à
Anfa (Maroc) en jan-
vier 1943. De gauche
à droite : Giraud,
Roosevelt, de Gaulle
et Churchill.**

l'« arrogant » général et le bouillant Premier ministre britannique. Malgré tout, l'alliance tient bon.

Les Américains, entrés en guerre en décembre 1941, ne reconnaissent aucune légitimité à « l'enfant terrible de Churchill », selon le mot de Roosevelt, qui éprouve une véritable aversion pour le général « fanatique à l'esprit étroit ». Après le débarquement des troupes anglo-américaines en Afrique du Nord le 8 novembre 1942, Roosevelt veut évincer définitivement de Gaulle en le remplaçant par une autre personnalité qui représenterait la France.

À Alger, il s'appuie tout d'abord sur Darlan, l'homme de Vichy. Après l'assassinat de celui-ci, c'est le général Giraud, un militaire ultra-conservateur, que Roosevelt tente d'imposer. Fort de son accord avec la Résistance et de sa popularité croissante, il ne faut que six mois à de Gaulle pour écarter le protégé des Américains.

## Le chef
## de la Résistance intérieure

Le 25 octobre 1941, Jean Moulin se présente à Londres. Cet ancien préfet apporte à de Gaulle, jusque-là très coupé de ce qui se passe en France, la révélation qu'il existe à l'intérieur du pays un début de résistance organisée qui

1890
Naissance

1941
Rencontre
avec Jean
Moulin

# NOUS VOULONS

Que tout ce qui appartient à la Nation Française revienne en sa possession.

Que le Peuple Français soit seul maître chez lui.

Que toutes nos libertés intérieures nous soient rendues.

Que tout ce qui porte atteinte aux droits, aux intérêts, à l'honneur de la Nation soit châtié et aboli.

Que l'idéal séculaire de Liberté-Egalité-Fraternité soit mis en pratique.

Que cette guerre ait pour conséquence une organisation du monde établissant la solidarité et l'aide mutuelle des nations.

Qu'une fois l'ennemi chassé du territoire, tous les hommes et toutes les femmes de chez nous élisent l'Assemblée Nationale qui décidera souverainement des destinées du pays.

*Extraits d'une déclaration du Général de Gaulle et des mouvements de résistance parus dans les journaux clandestins :*

    Combat
    Franc-tireur
    Libération
    La Voix du Nord

*(juin-juillet 1942)*

Les Mouvements de Résistance.

Tract conçu par le commissariat national à l'Intérieur pour diffusion clandestine en France à la fin de l'été 1942. Il schématise les points essentiels de la déclaration du général de Gaulle aux mouvements de résistance.
Le verso gommé du tract doit permettre un affichage facile.

Tract gaulliste diffusé en France à la fin de l'été 1942. Il schématise les points essentiels de la déclaration du général de Gaulle aux mouvements de résistance.

Lettre de Charles de Gaulle à Jean Moulin, d'octobre 1942, précisant sa nouvelle mission.

---

LE GENERAL DE GAULLE.

CARLTON GARDENS, S.W.1.
WHITEHALL 9446.

**TRES SECRET**

Mon cher ami;

La présence simultanée à Londres de Bernard et de Charvet a permis d'établir l'entente entre leurs deux mouvements de résistance, et de fixer les conditions de leur activité sous l'autorité du Comité National.

J'ai vivement regretté votre absence pendant cette mise au point. Je pense, cependant, que les dispositions qui ont été arrêtées faciliteront l'exécution de la mission qui vous est confiée.

Vous aurez à assurer la présidence du comité de coordination au sein duquel seront représentés les trois principaux mouvements de résistance: "COMBAT", "FRANC-TIREUR", "LIBERATION". Vous continuerez d'autre part comme représentant du Comité National en zone non-occupée, à prendre tous les contacts politiques que vous jugerez opportuns. Vous pourrez y employer certains de nos agents qui vous sont directement subordonnés.

Toutes organisations de résistance, quel que soit leur caractère, autres que les trois grands mouvements groupés par le comité de coordination, devront être invitées à affilier leurs adhérents à l'un de ces mouvements et à verser leurs groupes d'action dans les unités de l'armée secrète en cours de constitution. Il convient en effet d'éviter la prolifération de multiples petites organisations qui risqueraient de se gêner mutuellement, de susciter des rivalités et de créer la confusion.

Je tiens à vous redire que vous avez mon entière confiance et je vous adresse toutes mes amitiés.

C. de Gaulle.

## « Il n'est pas notre chef »

*(De Gaulle vu par le syndicaliste Christian Pineau, dirigeant du mouvement résistant Libération-Nord, en février 1942)*

**Il n'est pas notre chef. Nous avons pris sans lui nos initiatives, nous les aurions prises en tout état de cause, même s'il n'avait pas parlé le 18 juin. Il ne vit pas sur le territoire national, donc il ne partage pas nos dangers. Néanmoins, nous sommes pour la plupart prêts à reconnaître son autorité. Car il nous faut un drapeau, sinon un guide...**

Cité par J. Lacouture,
De Gaulle I, Paris,
Seuil, 1984.

compte participer à la libération du territoire. Jean Moulin arrive en émissaire des principaux mouvements de résistance. Ceux-ci attendent du Général « une approbation morale, des liaisons, de l'argent, des armes ». De Gaulle confie alors à Moulin la très délicate mission de faire accepter son autorité à la Résistance unifiée, en échange de moyens matériels.

Après des mois de négociations difficiles, le 27 mai 1943, se tient la séance inaugurale du Conseil national de la Résistance (C.N.R.), réunissant représentants des partis politiques et chefs résistants autour de Jean Moulin. Tous admettent le principe de la création d'un gouvernement provisoire présidé par de Gaulle. D'autre part, l'Armée secrète est créée, rassemblant les sections paramilitaires des mouvements résistants, directement rattachées à l'état-major de Londres, en vue de la participation à la Libération.

Jean Moulin a accompli sa mission. Il n'a plus qu'un mois à vivre. Trahi et arrêté par la Gestapo à Caluire près de Lyon, il meurt des suites de ses tortures en juin 1943. À cette date, de Gaulle peut se présenter aux Alliés comme le chef indiscuté de la France combattante, composée de la France libre et de la Résistance intérieure unie.

1890
Naissance

1943
Création du
C.N.R.

*Les retrouvailles.*
**Dessin de Jean
Effel.**

25 AOUT 1944
— Mon grand!...

**Après son débarque-
ment en Normandie le
14 juin 1944, de Gaulle
reçoit un véritable
plébiscite populaire à
Bayeux.**

## Le caractère de Charles de Gaulle

Fier, hautain, orgueilleux, arrogant, il l'est assurément. Par le temps qui court, qui s'en plaindrait ? Réservé, méfiant, rancunier, voire dur, blessant, et parfois vindicatif... On le dit méprisant. Son attitude reste souvent indifférente et lointaine, ses vues sur le fond de la nature humaine pessimistes, mais, dans les temps difficiles, le mépris devient vertu...

Louis Joxe en 1943. Cité par Jean Lacouture, De Gaulle I, Paris, Seuil, 1984.

### Chef du Gouvernement provisoire à Alger

À partir de mai 1943, de Gaulle prend ses quartiers à Alger, accompagné de sa famille, mais sans Philippe qui s'est engagé dans la marine.

Après l'éviction de Giraud, le Général dirige le Comité français de libération nationale (C.F.L.N.), autorité insurrectionnelle amenée à se substituer au gouvernement de Vichy.

Une assemblée consultative provisoire est réunie, composée d'hommes politiques et surtout de personnalités issues du combat contre l'occupant. Elle devra, à la Libération, assurer l'intérim de la représentation nationale en attendant les élections. De mai 1943 à juin 1944, sa grande tâche consiste à ressusciter l'État républicain. Un espoir de renouveau, commun à la Résistance et à la France libre, pousse les hommes d'Alger à vouloir réformer le système politique. Critiquant les faiblesses de la IIIᵉ République, ils souhaitent créer un État plus fort et plus juste.

1890
Naissance

1943
Alger

### Paris, enfin !

Dans la nuit du 5 au 6 juin 1944, les Alliés débarquent en Normandie, sans en avoir préalablement informé le chef de la France libre. De Gaulle réussit à imposer

### Le danger communiste à Paris

Certains éléments politiques de la Résistance (...) voulaient tirer parti de l'exaltation, peut-être de l'état d'anarchie, que la lutte provoquerait dans la capitale pour y saisir les leviers de commande du pouvoir avant que je ne les prenne. C'était, tout naturellement, l'intention des communistes. S'ils parvenaient à s'instituer les dirigeants du soulèvement et à disposer de la force à Paris, ils auraient beau jeu d'y établir un gouvernement de fait où ils seraient prépondérants. (...)
Ils projetaient d'apparaître à la tête de l'insurrection comme une sorte de Commune...

À mon arrivée, je trouverais en fonction ce gouvernement « populaire », qui ceindrait mon front de lauriers, m'inviterait à prendre en son sein la place qu'il me désignerait et tirerait tous les fils. Le reste, pour les meneurs de jeu, ne serait plus qu'alternance d'audace et de prudence, pénétration des rouages de l'État sous le couvert de l'épuration, inhibition de l'opinion par le moyen d'une information et d'une milice bien employées, élimination progressive de leurs associés du début, jusqu'au jour où serait établie la dictature dite du prolétariat.

**Charles de Gaulle**, Mémoires de guerre, Paris, Gallimard, éd. 2000.

**Le général de Gaulle
descendant
les Champs-Élysées
le 26 août 1944.**

aux Américains sa présence sur le territoire français et son administration qu'il installe lui-même. Il parvient également à modifier la stratégie du commandement interallié pour qui libérer Paris n'est pas une priorité. Le 25 août, les chars de la 2e D.B. du général Leclerc entrent dans la ville où l'insurrection populaire a déjà éclaté depuis plusieurs jours. Le lendemain est le grand jour pour le Général : dans les rues de la capitale, les bruits des combats se mélangent aux acclamations de la foule qui se presse sur son passage. À l'Hôtel de ville, devant le Conseil national de la Résistance, il improvise : « Paris ! Paris outragé ! Paris brisé ! Paris martyrisé ! Mais Paris libéré ! Libéré par lui-même, libéré par son peuple avec le concours des armées de la France, avec l'appui et le concours de la France toute entière, de la France qui se bat, de la seule France, de la vraie France, de la France éternelle ! »

À la surprise des résistants qui l'entourent, il ne proclame pas le rétablissement de la République. C'est que, pour lui, elle n'a jamais cessé d'exister, car Vichy n'était qu'une parenthèse illégale sans rupture de la continuité de l'État, incarné par lui-même depuis le 18 juin 1940. Le lendemain, c'est la parade triomphale qui le conduit de l'Étoile à Notre-Dame, véritable sacre populaire.

1890
Naissance

1944
Paris

*De Gaulle à l'écart.*
**Dessin de Jean Effel.**

DE GOAL

## Lettre à sa femme, restée à Alger

Paris, 27 août 1944

Ma chère petite femme chérie,

J'ai vu Philippe qui va parfaitement et s'est très bien battu et se bat encore.
Tout va très bien. Hier, manifestation inouïe. Cela s'est terminé à Notre-Dame par une sorte de fusillade qui n'était qu'une tartarinade. Il y a beaucoup de gens armés qui, échauffés par les combats précédents, tirent vers les toits à tout propos. Le premier coup de feu déclenche une pétarade générale aux moineaux. Cela ne durera pas. Je suis au ministère de la Guerre, rue Saint-Dominique. Mais c'est provisoire. Quand tu viendras, nous prendrons un hôtel avec jardin du côté du Bois de Boulogne pour habiter, et j'aurai mes bureaux ailleurs. (...) Donne une réponse au général Juin qui repartira pour Paris deux jours après son arrivée à Alger et qui te porte cette lettre. Donne-lui aussi du linge et des souliers pour moi. Je t'embrasse de tout mon cœur (...). Mille affections à Élisabeth et Anne.

Ton pauvre mari.
Charles

Charles de Gaulle, *Lettres, notes et carnets, juin 1943-mai 1945*, Paris, Plon, 1983.

## Une entrevue peu amicale avec des résistants

Le lieutenant Guy demande aux officiers F.F.I. (Forces françaises de l'Intérieur) de se ranger en rang d'oignons, par ordre hiérarchique, les membres du C.O.M.A.C. (Comité militaire du Conseil national de la Résistance) placés à part. De Gaulle, en entrant, déclare :

« Il y a beaucoup de colonels ici ! »
Il serre la main des officiers, demande à chacun : « Quel métier exercez-vous ? Métallo, instituteur ? Eh bien, il faudra rejoindre l'usine », dit-il à l'un, « l'école » à l'autre. Il annonce ainsi implicitement sa décision de dissoudre les F.F.I. dans l'armée régulière. (...)
En sortant, Beucler (qui est loin d'être communiste) me confie : « Je connaissais l'ingratitude humaine, mais je n'imaginais pas qu'elle pouvait atteindre un tel degré... »

Pierre Villon, Résistant de la première heure, Paris, Éditions sociales, 1983. Cité par Jean Lacouture, De Gaulle II, Paris, Seuil, 1985.

**Roosevelt reçoit de Gaulle à Washington en juillet 1944.**

Le Général s'est installé au ministère de la Guerre, où rien n'a changé depuis qu'il l'a quitté en 1940. Il croit même y reconnaître les huissiers... Parmi ses conseillers, il introduit Georges Pompidou, un normalien catholique qui n'a pourtant pas fait partie de la Résistance. Au nom de la centralisation du pouvoir, de Gaulle impose la mise au pas de la Résistance où les communistes tiennent une large place. Effectuée sans ménagements, cette reprise en main est ressentie douloureusement par beaucoup. Pour de Gaulle, l'enjeu consiste à limiter le poids des communistes et préserver la réalité de son pouvoir.

## Faire partie du camp des vainqueurs

De Gaulle arrache de haute lutte au commandement allié la participation de troupes françaises à l'achèvement de la libération du territoire. Mais, en février 1945, il n'est pas invité à la conférence de Yalta où les Alliés se réunissent pour préparer l'après-guerre. Cependant, Churchill y défend avec conviction les intérêts français. Grâce à lui, la France siège au sein de la commission de contrôle interalliée et obtient une zone d'occupation en Allemagne.
Finalement, le 8 mai 1945, le général de Lattre, envoyé à Berlin par de Gaulle,

1890
Naissance

1945
Capitulation
allemande

## Les réformes économiques et sociales

Il (le parti communiste) a toutes chances de prendre la tête du pays grâce à la surenchère sociale, lors même qu'il ne pourrait le faire par la voie du Conseil de la Résistance, des comités et des milices. À moins, toutefois, que de Gaulle, saisissant l'initiative, ne réalise des réformes telles qu'il puisse regrouper les esprits, obtenir le concours des travailleurs et assurer, sur de nouvelles bases, le démarrage économique. C'est à quoi, sans délai, j'attelle le gouvernement. Le plan est arrêté de longue date. Car dès l'origine, je me suis mis en accord avec mes arrière-pensées et les résistants, quels qu'ils soient, sont una-nimes dans leurs intentions. (...) On peut dire qu'un trait essentiel de la Résistance française est la volonté de rénovation sociale. Mais il faut la traduire en actes. Or, en raison de mes pouvoirs et du crédit que m'ouvre l'opinion, j'ai les moyens de le faire. En l'espace d'une année, les ordonnances et les lois promulguées sous ma responsabilité apporteront à la structure de l'économie et à la condition des travailleurs des changements d'une portée immense, dont le régime d'avant-guerre avait délibéré en vain pendant plus d'un demi-siècle.

Charles de Gaulle, *Mémoires de guerre III*, Paris, Plon, 1959.

reçoit la capitulation allemande avec les Russes, les Américains et les Anglais. De même, la France obtient un droit de veto au conseil de sécurité de l'O.N.U. Le Général a atteint l'objectif qu'il poursuivait depuis juin 1940 : la France fait partie des vainqueurs, et son rang dans le monde est reconnu.

## De Gaulle
## face aux partis politiques

De Gaulle est convaincu que la France doit se doter d'une autre constitution. Il organise un référendum sur cette question à l'occasion d'élections législatives. Il en ressort que les Français souhaitent une IV^e République, dont l'assemblée disposerait de pouvoirs limités. D'autre part, l'élection révèle l'importance respective du Parti communiste et du Mouvement républicain populaire (M.R.P), démocrate-chrétien.

C'est à l'unanimité que l'assemblée constituante élit le général de Gaulle comme chef du gouvernement. Cependant, un désaccord croissant s'instaure entre de Gaulle et les partis. Ceux-ci, par leurs travaux constitutionnels, réduisent les pouvoirs du chef du gouvernement, alors que le Général souhaite un exécutif fort. Les critiques contre lui se font plus nombreuses. À la surprise de tous, il annonce sa démission le 20 janvier 1946.

**Le gouvernement provisoire de la République française du 21 novembre 1945. Au premier plan à la droite du général de Gaulle : Bidault, Moch, Thorez, Auriol ; à sa gauche : Francisque Gay. Au fond en partant de la droite : Soustelle et Malraux.**

1890
Naissance

1946
Démission

## Pour un Président de la République aux pouvoirs renforcés

*(Extrait du discours de Bayeux, 1946)*

C'est donc du chef de l'État, placé au-dessus des partis, élu par un collège qui englobe le Parlement mais beaucoup plus large et composé de manière à faire de lui le Président de l'Union française en même temps que celui de la République, que doit procéder le pouvoir exécutif. Au chef de l'État la charge d'accorder l'intérêt général quant au choix des hommes avec l'orientation qui se dégage du Parlement.

À lui la mission de nommer les ministres et, d'abord, bien entendu, le Premier, qui devra diriger la politique et le travail du gouvernement. Au chef de l'État la fonction de promulguer les lois et de prendre les décrets, c'est envers l'État tout entier que ceux-ci et celles-là engagent les citoyens. À lui la tâche de présider les conseils du gouvernement et d'y exercer cette influence de la continuité dont une nation ne se passe pas. À lui l'attribution de servir d'arbitre au-dessus des contingences politiques, soit normalement par le Conseil, soit, dans les moments de grave confu-

sion, en invitant le pays à faire connaître par des élections sa décision souveraine. À lui, s'il devait arriver que la patrie fût en péril, le devoir d'être le garant de l'indépendance nationale et des traités conclus par la France.

Charles de Gaulle, Discours et messages II, février 1946-avril 1958, Paris, Plon, 1970.

## Une très courte retraite

« Je songeais d'abord à gagner quelque contrée lointaine où je pourrais attendre en paix », écrit-il. Finalement, c'est dans le pavillon de chasse loué au château de Marly que de Gaulle se retire, sa maison de Colombey-les-deux-Églises étant encore en travaux.

Il fait cependant quelques apparitions publiques, dans des lieux symboliques choisis pour y développer ses idées. La première est une visite sur la tombe de Clemenceau le jour anniversaire de la Victoire, la deuxième un voyage à Bayeux, la première sous-préfecture libérée. C'est là qu'il prononce un grand discours sur les institutions dans lequel il réaffirme la nécessité d'un pouvoir fort pour le chef de l'État. Ces conceptions prévaudront plus tard, en 1958.

1890
Naissance

## De Gaulle chef du Rassemblement du peuple français (R.P.F.)

Décidé à se doter d'une organisation politique située au-dessus des partis et capable de le ramener au pouvoir, de Gaulle annonce publiquement la fondation du R.P.F. en avril 1947.

Afin de préparer les élections municipales d'octobre, il multiplie, devant des

1947
Fondation du R.P.F.

**Discours sur l'hippodrome de Vincennes le 5 octobre 1947.**

## Malraux ou la vie d'un joueur (février 1948)

Hier soir, au Vélodrome d'Hiver où le R.P.F. tenait ses assises, le froid figeait l'immense foule : on eût dit un océan gelé.
Le froid... ou l'absence d'un homme ? Ce qui reste du R.P.F. quand de Gaulle n'est pas là, c'est de Gaulle encore. J'ai tenu bon jusqu'à la fin : je voulais entendre Malraux. Il ne m'a pas déçu. Je l'aurais écouté longtemps, bien qu'il n'ait rien dit de notable. Mais c'est lui qui est intéressant, le jeu qu'il joue. Un joueur, oui, et qui agite sans cesse les dés dans ses mains de fiévreux. (...)
C'est contre le formidable Staline qu'il mène sa partie, ce David sans âge. Il se bat contre Staline beaucoup plus qu'il ne se bat pour de Gaulle. Dirai-je le fond de ma pensée ? Je crois à André Malraux assez de superbe pour qu'il considère Charles de Gaulle comme une carte de son propre jeu.

François Mauriac, *Mémoires politiques*, Paris, Grasset, 1960.

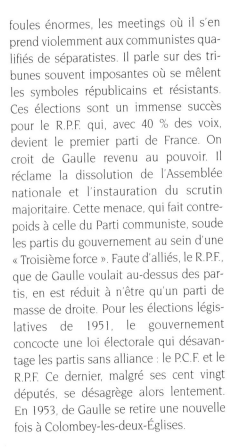

**Meeting du R.P.F. au Vélodrome d'Hiver le 23 février 1952, mis en scène par André Malraux.**

1890
Naissance

foules énormes, les meetings où il s'en prend violemment aux communistes qualifiés de séparatistes. Il parle sur des tribunes souvent imposantes où se mêlent les symboles républicains et résistants. Ces élections sont un immense succès pour le R.P.F. qui, avec 40 % des voix, devient le premier parti de France. On croit de Gaulle revenu au pouvoir. Il réclame la dissolution de l'Assemblée nationale et l'instauration du scrutin majoritaire. Cette menace, qui fait contrepoids à celle du Parti communiste, soude les partis du gouvernement au sein d'une « Troisième force ». Faute d'alliés, le R.P.F., que de Gaulle voulait au-dessus des partis, en est réduit à n'être qu'un parti de masse de droite. Pour les élections législatives de 1951, le gouvernement concocte une loi électorale qui désavantage les partis sans alliance : le P.C.F. et le R.P.F. Ce dernier, malgré ses cent vingt députés, se désagrège alors lentement. En 1953, de Gaulle se retire une nouvelle fois à Colombey-les-deux-Églises.

## La « traversée du désert »

1953
Retraite à
Colombey

De 1953 à 1958, la vie du général de Gaulle est vouée à la rédaction de ses *Mémoires de guerre*, à l'écriture desquels il consacre trois ou quatre heures par jour. Il en lit de longs extraits à quelques proches, comme André Malraux, dont il admire les

## Lettre à Philippe

Le 29 mai 1958

Mon cher Philippe,

Henriette et vos si chers enfants nous quittent. Les événements ont agité leur séjour. Mais combien nous avons été, ta Maman et moi, heureux de les voir !

D'après mes informations, l'action serait imminente du sud vers le nord. J'ai reçu, hier, Le Troquer et Monnerville, que m'envoyait le Président Coty, pour voir avec moi à quelles conditions je pourrais former le gouvernement dans l'actuel régime. J'ai précisé mes conditions (délégation de pleins pouvoirs pour un an, recours au référendum pour modifier la Constitution). Mais il est infiniment probable que rien ne se fera plus dans le régime qui ne peut même plus vouloir quoi que se soit.

Au revoir, mon cher vieux garçon, je t'embrasse de tout mon cœur. Ta Maman en fait autant.

Ton Papa.

Charles de Gaulle, Lettres, notes et carnets, Paris, Plon, 1985.

**Dîner à Tahiti
le 30 août 1956.**

talents littéraires et la flamme oratoire.

Pendant cette période, il entreprend également de visiter « tous les territoires français d'outre-mer ». Ces voyages s'effectuent dans un avion offert en 1945 par le président américain Truman. Ils sont pour lui l'occasion de retrouver le contact des foules, de sentir à nouveau autour de lui la ferveur populaire.

Au début de 1956, un sondage révèle que 1 % seulement des Français souhaitent voir Charles de Gaulle à la tête du gouvernement. À ce moment-là, il paraît vieilli à ses proches et il assène des phrases pessimistes : « La France est fichue, on ne m'appellera plus ». Les événements d'Algérie le contrediront. Ce qui a commencé comme une simple flambée terroriste en novembre 1954 devient une véritable guerre à partir d'août 1955. Les gouvernements qui se succèdent éprouvent des difficultés croissantes à imposer leur autorité, notamment sur les militaires envoyés en Algérie. Autour du Général, une agitation se crée. Des visiteurs de toutes tendances viennent le consulter à Colombey ou dans ses bureaux de la rue de Solferino. On commence à évoquer son retour au pouvoir comme seul recours possible pour éviter l'effondrement de la France.

1890
Naissance

1954
Début de la
guerre
d'Algérie

## L'opposition de François Mitterrand à l'investiture du général de Gaulle

Lorsque, le 10 septembre 1944, le général de Gaulle s'est présenté devant l'Assemblée consultative issue des combats de l'extérieur ou de la Résistance, il avait à ses côtés deux compagnons : l'honneur et la patrie. Ses compagnons d'aujourd'hui, qu'il n'a sans doute pas choisis, s'appellent le coup de force et la sédition.

Comment pourrait-on nier qu'il existe un lien entre le 13 mai à Alger et la séance d'aujourd'hui, qu'il y a eu complot organisé à Alger et dont les ramifications se sont étendues jusqu'à certains palais officiels de Paris ? Alors que le plus illustre des Français se présente à nos suffrages, je ne puis oublier qu'il est présenté et appuyé d'abord par une armée indisciplinée. En droit, il tiendra son pouvoir de la représentation nationale ; en fait, il le détient déjà du coup de force. (...)

Dans quelque temps, vous vous rallierez, m'a-t-on dit. Si le général de Gaulle est le fondateur d'une nouvelle forme de démocratie, le libérateur des peuples africains, le mainteneur de la présence française partout au-delà des mers, le restaurateur de l'unité nationale, s'il prête à la France ce qu'il faut de continuité et d'autorité, je me rallierai à lui.

François Mitterrand au Palais Bourbon, le 1er juin 1958. Cité par Jean Lacouture, De Gaulle II, Paris, Seuil, 1985.

## Je vous ai compris

Je vous ai compris ! Je sais ce qui s'est passé ici. Je vois ce que vous avez voulu faire. Je vois que la route que vous avez ouverte en Algérie, c'est celle de la rénovation et de la fraternité.

Je dis la rénovation à tous égards. Mais, très justement, vous avez voulu que celle-ci commence par le commencement, c'est-à-dire par nos institutions, et c'est pourquoi me voilà. Et je dis la fraternité, parce que vous offrez ce spectacle magnifique d'hommes qui, d'un bout à l'autre, quelles que soient leurs communautés, communient dans la même ardeur et se tiennent par la main. Eh bien ! De tout cela, je prends acte au nom de la France et je déclare qu'à partir d'aujour-

## De Gaulle revient au pouvoir

Le 13 mai 1958, une crise fait basculer le régime. Des militaires, mécontents de la politique des gouvernements français, prennent le pouvoir à Alger et exigent le retour du Général aux affaires de l'État. Des tractations s'engagent, et le Président René Coty appelle de Gaulle à former un gouvernement. Il reçoit pour mission de réviser la constitution.

À peine investi en juin 1958, de Gaulle entreprend un voyage en Algérie. Il arrive à Alger le 4, où il prononce les mots célèbres : «Je vous ai compris », qui lui assurent son plus grand succès oratoire devant une foule. Durant tout son voyage, il n'a de cesse de maintenir l'ambiguïté dans ses propos, afin de calmer ceux qui l'ont amené au pouvoir, mais sans faire de promesses précises sur le sort de l'Algérie française.

1890
Naissance

d'hui, la France considère que, dans toute l'Algérie, il n'y a qu'une seule catégorie d'habitants : il n'y a que des Français à part entière, des Français à part entière, avec les mêmes droits et les mêmes devoirs. (...) Cela signifie qu'il faut reconnaître la dignité de ceux à qui on la contestait. Cela veut dire qu'il faut assurer une patrie à ceux qui pouvaient douter d'en avoir une. (...) Jamais plus qu'ici et jamais plus que ce soir, je n'ai compris combien c'est beau, combien c'est grand, combien c'est généreux, la France !

Vive la République !

Vive la France !

Charles de Gaulle, le 4 juin 1958 à Alger. Discours et messages III, Paris, Plon, 1970.

1958
Coup d'État
à Alger

## Le Président de la République dans la Constitution de 1958

### Article 11

Le Président de la République, sur proposition du Gouvernement pendant la durée des sessions ou sur proposition conjointe des deux assemblées, publiées au *Journal Officiel*, peut soumettre au référendum tout projet de loi portant sur l'organisation des pouvoirs publics, comportant approbation d'un accord de Communauté ou tendant à autoriser la ratification d'un traité qui, sans être contraire à la Constitution, aurait des incidences sur le fonctionnement des institutions.

Lorsque le référendum a conclu à l'adoption du projet, le Président de la République le promulgue dans le délai prévu à l'article précédent.

### Article 16

Lorsque les institutions de la République, l'indépendance de la Nation, l'intégrité de son territoire ou l'exécution de ses engagements internationaux sont menacés d'une manière grave et immédiate et que le fonctionnement régulier des pouvoirs publics constitutionnels est interrompu, le Président de la République prend les mesures exigées par ces circonstances, après consultation officielle du Premier ministre, des présidents des

assemblées ainsi que du Conseil constitutionnel. Il en informe la Nation par un message. Ces mesures doivent être inspirées par la volonté d'assurer aux pouvoirs publics constitutionnels, dans les moindres délais, les moyens d'accomplir leur mission.
Le Conseil constitutionnel est consulté à leur sujet.

Extraits de la Constitution de la Vᵉ République in La Documentation française, Commentaires sur la Constitution de la Vᵉ République, Paris, 1959.

## Le fondateur de la Vᵉ République

De Gaulle dispose des pleins pouvoirs et il agit sans contrôle du parlement pendant six mois. Georges Pompidou est son directeur de cabinet. L'exercice du pouvoir semble rajeunir le Général qui anime les conseils des ministres avec enthousiasme. En trois mois, il parvient à proposer une nouvelle constitution qui concrétise les idées énoncées à Bayeux en 1946. Elle renforce les pouvoirs du chef de l'État, en lui permettant notamment de faire appel au référendum. De Gaulle y voit une arme « à briser les partis », qui lui permet d'établir un lien direct avec les Français. La constitution est adoptée par référendum le 28 septembre 1958, avec 80 % de « oui », malgré l'opposition résolue du Parti communiste et de personnalités comme Pierre Mendès France ou François Mitterrand. La Vᵉ République est née. La droite, au sein de laquelle les gaullistes tiennent une place centrale, remporte une victoire écrasante aux élections législatives. En décembre, de Gaulle devient Président de la République. Il nomme Michel Debré Premier ministre et s'installe à l'Élysée en janvier 1959.

1890
Naissance

1958
Vᵉ République

De Gaulle, place de la République, le 4 septembre 1958.

## De Gaulle en son palais

Dès son arrivée à l'Élysée, le général de Gaulle instaure un rituel de la journée rigoureusement minuté.

Celle-ci commence à 7 h 30 par la lecture des journaux. Vers 9 h 30, il gagne son bureau, situé au premier étage dans le salon doré. Il consulte les synthèses sur la presse, les dépêches diplomatiques, et il prépare le prochain conseil des ministres. Deux fois par semaine, il reçoit le Premier ministre en fin de matinée. À 13 h, il déjeune avec quelques invités. Ses après-midi se partagent entre l'examen des dossiers, qu'il annote à l'intention du Premier ministre ou du secrétaire général de l'Élysée, la préparation de ses discours, ou les audiences qu'il accorde. Le repas du soir est pris dans l'intimité, quand c'est possible, dans son appartement de cinq pièces, si éloigné des cuisines que sa femme et lui mangent bien souvent tiède… Les soirées se passent devant la télévision qu'il adore.

Le retour du général de Gaulle coïncide en effet avec l'arrivée du petit écran. Celui-ci devient vite un instrument politique qu'il apprivoise avec une grande aisance. Les conférences de presse télévisées, deux fois l'an, lui permettent d'imposer son sens de la répartie. De Gaulle, qui a préparé ses réponses ou plutôt son exposé, y fait face aux journa-

**Le premier gouvernement de la Ve République.** De gauche à droite, au premier rang, Pinay, Berthoin, Michelet, Lecourt, Houphouët-Boigny, Debré, de Gaulle, Soustelle, Jacquinot, Malraux, Couve de Murville, Guillaumat et Boulloche. Au deuxième rang : Maurice-Bokanowski, Fontanet, Chatenet, Frey, Triboulet, Chenot, Houdet, Buron, Jeannenay, Bacon, Sudreau, Cornut-Gentile, Sid-Cara, Flèchet et Giscard d'Estaing.

**De Gaulle en inspection sur le terrain en Algérie.** À sa droite, Paul Delouvrier, à sa gauche, le général Challe.

1890
Naissance

1958
Élysée

Voyage de Charles de Gaulle en Afrique Noire, en décembre 1959.

## L'Algérie de papa est morte

Je réponds à quelqu'un qui me demande si l'Algérie restera française : « La France, tout en s'efforçant d'aboutir à la pacification, travaille à la transformation où l'Algérie trouvera sa nouvelle personnalité ». Peu après, m'entretenant avec Pierre Laffont, directeur de *L'Écho d'Oran*, je dis : « Ce que veulent les activistes et ceux qui les suivent, c'est conserver "l'Algérie de papa". Mais "l'Algérie de papa" est morte ! On mourra comme elle, si on ne le comprend pas. »

Charles de Gaulle, *Mémoires d'espoir*, Paris, Plon, 1970.

## Le manifeste des 121

*(Déclaration du 4 septembre 1960 sur le droit à l'insoumission dans la guerre d'Algérie signée par des personnalités en vue comme Simone de Beauvoir, André Breton, Marguerite Duras, Alain Resnais, Jean-Paul Sartre, Simone Signoret...)*

Un mouvement très important se développe en France, et il est nécessaire que l'opinion nationale et internationale soit mieux informée, au moment où le nouveau tournant de la guerre d'Algérie doit nous conduire à voir, non à oublier la profondeur de la crise qui s'est ouverte il y a six ans.
De plus en plus nombreux, des Français sont poursuivis, empri-

sonnés, condam-
nés, pour s'être
refusés à partici-
per à cette guerre
ou pour être
venus en aide aux
combattants
algériens. (...)
Les soussignés (...)
déclarent :
- Nous respectons
et jugeons justifié
le refus de
prendre les armes
contre le peuple
algérien.
- Nous respectons
et jugeons justi-
fiée la conduite
des Français qui
estiment de leur
devoir d'apporter
aide et protection
aux Algériens
opprimés au nom
du peuple français.
- La cause du
peuple algérien,
qui contribue de
façon décisive à
ruiner le système
colonial, est la
cause de tous les
hommes libres.

Vérité liberté, n°4,
Paris, septembre 1960.

listes, dont les questions lui servent de prétexte à annoncer des décisions importantes, ou à évoquer des sujets de politique intérieure ou internationale.

## Le décolonisateur

En 1958, le problème colonial se pose avec acuité. Le Général propose aux pays d'Afrique Noire de rallier une communauté dans laquelle ils détiendraient une part de la souveraineté tout en restant liés à la France. En 1960, ces pays accèdent à une indépendance négociée qui maintient la coopération militaire et financière avec la France.

La question de l'Algérie est d'une autre complexité. De Gaulle l'aborde dans la contradiction : il est à la fois un nationaliste qui répugne à perdre l'Algérie, et un visionnaire qui juge l'indépendance inéluctable.

Sa politique algérienne connaît deux grande phases. La première, qui commence au début de 1959, intensifie les offensives de l'armée française menée par le général Challe. Les succès s'enchaînent, qui affaiblissent les indépendantistes sur le plan militaire, mais les renforcent auprès des populations locales.

La deuxième phase débute en septembre 1959, quand il propose l'autodétermination aux Algériens, c'est-à-dire la faculté

1890
Naissance

1960
Décoloni-
sation de
l'Afrique
Noire

## Un quarteron de généraux en retraite...

Un pouvoir insurrectionnel s'est établi en Algérie par un pronunciamiento militaire... Ce pouvoir a une apparence, un quarteron de généraux en retraite. Il a une réalité : un groupe d'officiers, partisans, ambitieux, fanatiques. (...) Voici l'État bafoué, la nation défiée, notre puissance ébranlée, notre prestige international abaissé, notre place et notre rôle en Afrique compromis. Et par qui ? Hélas ! Hélas ! Par des hommes dont c'était le devoir, l'honneur, la raison d'être, de servir et d'obéir.

Au nom de la France, j'ordonne que tous les moyens, je dis tous les moyens, soient employés pour barrer partout la route à ces hommes-là, en attendant de les réduire. J'interdis à tout Français et, d'abord, à tout soldat d'exécuter aucun de leurs ordres. (...) Devant le malheur qui plane sur la patrie et la menace qui pèse sur la République, ayant pris l'avis officiel du Conseil constitutionnel, du Premier ministre, du président du Sénat, du président de l'Assemblée nationale, j'ai décidé de mettre en œuvre l'article 16 de notre Constitution. (...) Par là même, je m'affirme, pour

**Le « quarteron de généraux », avril 1961. De gauche à droite : Zeller, Jouhaud, Salan et Challe.**

aujourd'hui et pour demain, en la légitimité française et républicaine que la nation m'a conférée, que je maintiendrai, quoi qu'il arrive, jusqu'au terme de mon mandat ou jusqu'à ce que me manquent, soit les forces, soit la vie, et dont je prendrai les moyens d'assurer qu'elle demeure après moi. Françaises, Français, aidez-moi ! (...)

Charles de Gaulle, Discours et messages, cité par Jean Lacouture, De Gaulle III, Paris, Seuil, 1986.

de se prononcer eux-mêmes sur l'avenir de leur pays. À mesure que de Gaulle avance vers la négociation avec le Front de libération national (F.L.N.), l'hostilité d'une partie de l'armée et de la population européenne d'Algérie va grandissant. Elle s'exprime par deux crises : la semaine des barricades à Alger en janvier 1960, quand la population européenne en vient à l'émeute, et la tentative de putsch fomenté par quatre généraux dans la nuit du 21 au 22 avril 1961. Dans les deux cas, le général de Gaulle l'emporte dans l'opinion en recourant à des interventions télévisées où il affirme, en uniforme, l'autorité de l'État et du Président de la République. Devant la fermeté du pouvoir, les généraux capitulent ou entrent dans la clandestinité au sein de l'Organisation de l'Armée secrète (O.A.S.).

C'est dans ce contexte que commencent des négociations avec les indépendantistes. Le 18 mars 1962, les accords d'Evian sont signés. L'Algérie obtient l'indépendance tout en maintenant la coopération avec la France. L'O.A.S. mène une campagne de terreur en Algérie, à laquelle répond celle du F.L.N. Elle agit aussi en métropole : le 22 août 1962, au Petit-Clamart, le général et son épouse échappent de justesse à un attentat. De Gaulle profite de l'émotion

1890
Naissance

1962
Accords
d'Evian

## De Gaulle vu par Konrad Adenauer

De Gaulle ne correspondait nullement à l'idée qu'avait pu en donner la presse de ces derniers mois. Son allure était jeune et son nationalisme bien moins virulent que celui qu'on lui prêtait habituellement. Il était très bien informé de l'ensemble des affaires mondiales et particulièrement conscient de la grande importance des relations franco-allemandes, tant pour les deux pays considérés que pour toute l'Europe et, partant, pour le reste du monde. (...) J'étais très satisfait de notre rencontre. J'étais heureux d'avoir trouvé un tout autre homme que ce que j'avais craint. J'étais sûr que notre collaboration serait bonne et confiante. Le plus important de notre entretien, c'était la révélation de l'harmonie de nos vues sur les réalités du moment : nous étions d'accord sur toutes les grandes questions, et cet accord ne serait pas remis en cause, même s'il surgissait des problèmes délicats. Tout cela constituait une excellente base de départ pour les rapports franco-allemands.

Konrad Adenauer, *Mémoires III 1956-1963, Paris, Hachette, 1969.*

Visite du couple Kennedy en France en mai-juin 1961.

« Mister No »

*(Dessin de Cummings. Copyright Opera Mundi.)*

**De Gaulle vu par les Anglais en 1963. (Dessin de Cumming paru dans le *Daily Express* puis dans *Paris-Presse-L'Intransigeant* le 16 janvier 1963).**

générale pour faire passer la réforme constitutionnelle à laquelle il réfléchissait depuis quelque temps : l'élection du Président de la République au suffrage universel.

## « Une certaine idée de la France »

En 1958, les grandes lignes de la politique étrangère de la France sont déjà tracées. Celle-ci fait partie de l'Alliance atlantique et de l'Organisation du Traité de l'Atlantique Nord (O.T.A.N.), dominées par les Américains, et de la Communauté économique européenne. Le « grand dessein » du Général vise à instaurer l'indépendance de la France devant la logique des blocs. Il voudrait pouvoir s'appuyer sur une Europe des nations capable de faire entendre sa voix face aux deux grands. Dès septembre 1958, il reçoit, dans sa maison de Colombey, le chancelier allemand Konrad Adenauer. Une véritable amitié personnelle naît aussitôt entre eux. Mais, malgré le soutien de l'Allemagne, de Gaulle ne parvient pas à créer l'Europe politique qu'il souhaite. Il en conservera une profonde méfiance à l'encontre des institutions établies à Bruxelles.

Une autre tâche consiste à dégager la France de l'hégémonie américaine, ce

1890
Naissance

1962
Attentat du Petit-Clamart

ISRAEL ABANDONNERAS
EGYPTE CONSOLERAS
D'AMERIQUE T'ELOIGNERAS
RUSSIE AGUICHERAS
A CHINE PLAIRE VOUDRAS
ANGLETERRE SNOBERAS
AVEC TURQUIE TE JUMELLERAS
POLOGNE VISITERAS
ALGERIE ENTRETIENDRAS
LE SORT DU MONDE ASSUMERAS

**Les dix commandements**, caricature de Tim.

## Eisenhower et de Gaulle en 1960

*(Pendant une conférence au sommet Est-Ouest à Paris en mai 1960)*

Khrouchtchev bondit de son siège et répéta encore une fois que si Eisenhower ne lui présentait pas d'excuses, il ne viendrait pas. De Gaulle le toisa comme on regarde un enfant méchant et annonça que la conférence reprendrait le jour suivant. (...)
De Gaulle fit alors le tour de la table, prit Eisenhower par le bras. Il me prit par l'autre bras, et, nous conduisant à côté, il dit à Eisenhower :
« Je ne sais pas ce que Khrouchtchev va faire, ni ce qui va se passer, mais quoi

qui, pour de Gaulle, implique l'accès à l'indépendance nucléaire. C'est chose faite dès le 13 février 1960, lorsqu'explose la première bombe atomique française dans le Sahara. Par ailleurs, à l'occasion de visites officielles dans les pays d'Europe de l'Est, le Général établit des rapports directs avec les pays communistes.

L'Alliance atlantique n'est pas remise en cause pour autant, les liens entre la France et les États-Unis devenant même étroits sous la présidence de Kennedy.

Mais à partir de 1964, de Gaulle ne cesse de critiquer la logique des blocs et la politique américaine. Par exemple, en septembre 1966 à Phnom-Penh, au Cambodge, le Président de la République française prononce un discours retentissant devant 200 000 personnes. Il condamne sans équivoque l'intervention américaine au Viêt-nam et réaffirme le droit à l'autodétermination pour tous les peuples. Ces paroles reçoivent un immense écho dans le tiers-monde, mais sans effet concret sur le terrain. Les États-Unis et la France vivent une période de grande méfiance réciproque. La même année, les troupes américaines quittent le territoire français après que le général de Gaulle a décidé la sortie de la France de l'O.T.A.N.

---

qu'il fasse et quoi qu'il arrive, je veux que vous sachiez que je serai avec vous jusqu'au bout. » (...) Je fus stupéfait par cette déclaration, et Eisenhower visiblement ému par cette expression inattendue d'un soutien inconditionnel. (...) Eisenhower remercia de Gaulle qui l'accompagna jusqu'à sa voiture. En montant dans la voiture, Eisenhower bouleversé par cet épisode me regarda et me dit : « Ce de Gaulle, c'est quelqu'un ! »

Vernon A. Walters, Services discrets, Paris, Plon, 1979. Cité par Simone Servais, Regard sur de Gaulle, Paris, Plon, 1990.

1890
Naissance

1966
La France sort de l'O.T.A.N.

## La gauche et la droite vues par de Gaulle

La France, c'est tout à la fois, c'est tous les Français. Ce n'est pas la
gauche, la France ! Ce n'est pas la droite, la France ! Naturellement,
les Français, comme de tout temps, ressentent en eux des courants.
Il y a l'éternel courant du mouvement qui va aux réformes, qui va
aux changements, qui est naturellement nécessaire, et puis il y a
aussi un courant de l'ordre, de la règle, de la tradition, qui lui aussi
est nécessaire. (...) Le fait que les partisans de droite et les partisans de gauche déclarent que j'appartiens à l'autre côté, prouve
précisément ce que je vous dis, c'est-à-dire que, maintenant comme
toujours, je ne suis pas d'un côté, je ne suis pas de l'autre, je suis
pour la France. Il y a, pour ce qui est de la France, ce qui se passe
dans une maison : la maîtresse de maison, la ménagère, veut avoir
un aspirateur, elle veut avoir un frigidaire, elle veut avoir une
machine à laver et même, si c'est possible, une auto ; cela c'est le
mouvement. Et, en même temps, elle ne veut pas que son mari s'en
aille bambocher de toute part, que les garçons mettent les pieds sur
la table et que les filles ne rentrent pas la nuit ; ça c'est l'ordre.

# L'usure du pouvoir

De Gaulle
et Pompidou.

## De Gaulle réélu

L'élection présidentielle au suffrage universel de décembre 1965 marque une étape importante. De Gaulle s'abstient de faire campagne car il est convaincu de sa réélection au premier tour avec 70 % des voix. Ses adversaires, eux, ne s'en privent pas. Les résultats du 5 décembre l'atteignent de plein fouet : il n'obtient que 44 % des voix, Mitterrand 32 % et Lecanuet 16 %. Il décide alors de se livrer à une série d'interventions télévisées. Ses réponses aux journalistes, humoristiques, voire goguenardes, surprennent et font mouche. Notamment quand, joignant le geste à la parole, il s'écrie : « Bien entendu, on peut sauter sur sa chaise comme un cabri en disant "l'Europe ! l'Europe ! l'Europe !"… » Cette campagne aboutit au succès du deuxième tour, avec 54,6 % des voix. Ces élections manifestent néanmoins le début d'une certaine usure du pouvoir, et le recours aux interventions à la télévision durant la campagne des législatives de 1967 n'empêchera pas une forte progression des partis de gauche. Cet affaiblissement apparaît au grand jour lors de la crise de mai 1968.

La ménagère veut le progrès mais elle ne veut pas la pagaille. Eh bien ! C'est vrai aussi pour la France. Il faut le progrès, il ne faut pas la pagaille.

Charles de Gaulle,
Entretien télévisé
avec Michel Droit
en décembre 1965,
in Discours et
messages, Paris,
Plon, 1970.

1890
Naissance

1967
Élections
législatives

## De Gaulle et la pilule

La pilule ? Jamais ! Qu'est-ce que ça veut dire : « Délibère » ? Ça veut dire que le Parlement votera une loi ? Jamais mon gouvernement ne déposera un tel projet de loi ! On ne peut pas réduire la femme à une machine à faire l'amour ! Vous allez contre ce que la femme a de plus précieux, la fécondité. Elle est faite pour enfanter ! Si on tolère la pilule, on ne tiendra plus rien ! Le sexe va tout envahir ! (...) Les naissances, qui assurent le maintien de notre population et même, depuis la guerre, un progrès sensible, sont dues à des grossesses non désirées. La femme ne se doit pas seulement à elle-même, elle se doit à son foyer et à son pays ! Elle a reçu le pouvoir de donner la vie ; elle doit rendre ce qu'elle a reçu. C'est bien joli de favoriser l'émancipation des femmes,

mais il ne faut pas pousser à leur dissipation. C'est leur intérêt, elles ne s'épanouissent vraiment que dans la maternité. C'est l'intérêt de la France, dont la démographie s'effondrerait si on adoptait la pilule. Introduire la pilule*, c'est préférer quelques satisfactions immédiates à des bienfaits à long terme ! Nous n'allons pas sacrifier la France à la bagatelle !

* Le Conseil du 7 juin 1967 fera apparaître l'évolution du Général, hors de toute pression électorale. Le projet de loi Jeanneney autorisant la mise en vente de la pilule sera discuté au Parlement en juillet et définitivement adopté le 19 décembre 1967.

Alain Peyrefitte, C'était de Gaulle II, Paris, Éditions de Fallois, Fayard, 1997.

## Mai 68, le Général face à la « chienlit »

Quand commencent les événements de mai 68, de Gaulle a 77 ans. Il est en décalage face à ce qu'il considère comme des « enfantillages ». Des étudiants montent des barricades dans Paris. Une grève générale est lancée dans les secteurs privé et public. Le pouvoir hésite. De Gaulle, parti pour la Roumanie en laissant son Premier ministre Pompidou entamer des négociations avec les syndicats, constate à son retour que la situation ne s'est pas améliorée. Il est furieux, en particulier contre ses ministres. Il leur reproche  « la chienlit étudiante », « le bordel partout »... La formule, livrée à la presse, « La réforme, oui, la chienlit, non ! », est reçue comme une humiliation par la classe ouvrière et tournée en ridicule par les étudiants. Les manifestations se multiplient dans Paris et le Président de la République entre dans une de ces périodes d'abattement dont il est coutumier. Tous ceux qui l'approchent alors le trouvent voûté, vieilli, prostré. L'Élysée se vide tandis que l'hôtel Matignon, où Pompidou reprend les négociations, bruisse d'activité. Celles-ci échouent. Le 28, François Mitterrand annonce sa candidature à la présidence de la République en cas de vacance du pouvoir. Le 29, une manifes-

**De Gaulle vampire de la République (affiche réalisée par des étudiants de l'école des Beaux-arts de Lyon en mai 1968).**

1890
Naissance

1968
Crise de
mai

La jeunesse contre de Gaulle en mai 68.

1890
Naissance

tation de la C.G.T. doit avoir lieu. L'armée est en état d'alerte. Le même jour, de Gaulle s'envole pour Baden Baden, en Allemagne, où il rencontre le général Massu. Ce départ est soigneusement dissimulé, même aux plus proches collaborateurs. La presse s'émeut : le Général a disparu ! Désarroi du chef dépassé par les événements ou manœuvre tactique destinée à créer un choc ? Le lendemain, il réapparaît à l'Élysée avec un discours et une stratégie. Il annonce la dissolution de l'Assemblée nationale et en appelle à la mobilisation pour défendre la démocratie. Près d'un million de personnes, menées par Michel Debré et André Malraux, défilent dans Paris en criant : « De Gaulle n'est pas seul ! » Les élections qui suivent voient le triomphe des gaullistes. Cependant, le Président de la République paraît affaibli. Il n'est plus en phase avec une partie de la jeunesse pour qui « dix ans ça suffit », et dont il n'a pas mesuré tout de suite les aspirations à plus de liberté. Son Premier ministre s'est révélé comme un candidat potentiel à sa succession.

La manifestation de soutien à Charles de Gaulle aux Champs-Élysées le 30 mai 1968. (On peut reconnaître André Malraux et Michel Debré au centre).

## Le Président de la République démissionne

Dès lors, les rapports entre de Gaulle et Pompidou ne reposent plus sur la même confiance. Ce dernier se dit fatigué et

1968
Crise de
mai

## Lettre d'Irlande de l'ancien Président de la République à sa sœur

14 mai 1969

Ma bien chère Marie-Agnès,

C'est d'Irlande que je t'adresse mes vœux ardents et profondément affectueux pour ton prochain anniversaire. Yvonne y joint de tout cœur ses propres souhaits. (...) Après quelques semaines que nous passerons ici, nous comptons retourner à Colombey en fin juin et trouver alors le moyen de t'embrasser. Que nos chers parents et ceux que nous avons perdus et qui nous aimaient prient pour nous deux, ma bien chère sœur.

Quant aux événements, il s'est produit ce qui devait un jour arriver. Les Français d'à présent ne sont pas encore, dans leur majorité, redevenus un assez grand peuple pour porter, à la longue, l'affirmation de la France que je pratique en leur nom depuis trente ans. Mais ce qui a été fait sous cette égide, d'abord pendant la guerre, ensuite au cours des onze dernières années, a été d'une telle dimension que l'avenir est de ce côté-là. La période de médiocrité dans laquelle notre pays vient d'entrer en fera bientôt la démonstration. Au revoir, ma bien chère Marie-Agnès. C'est de tout mon cœur que je t'embrasse et ce sont les meilleures affections du monde qu'Yvonne et moi nous t'envoyons.

Ton frère aimant,

Charles.

Charles de Gaulle, Lettres, notes et carnets, mai 1969-novembre 1970, Paris, Plon, 1988.

propose plusieurs fois sa démission avant de changer finalement d'avis, mais trop tard ! Le Président de la République a désigné Maurice Couve de Murville au poste de Premier ministre. De Gaulle veut reprendre l'initiative et renforcer sa légitimité populaire. Il prépare un projet de référendum sur la régionalisation de la France et sur la modification du Sénat. Ce projet ne fait pas l'unanimité dans la majorité. Valéry Giscard d'Estaing, l'ancien ministre des Finances, chef des Républicains indépendants, fait savoir qu'il « ne pourrait voter "oui" ». Le 27 avril à 22 heures, les résultats sont connus. Le « non » l'emporte avec 53 % des voix. De Gaulle y voit une perte de légitimité. Deux heures plus tard, dans un communiqué, il annonce : « Je cesse d'exercer mes fonctions de Président de la République. Cette décision prend effet aujourd'hui à midi. »

## La mort du général de Gaulle

De Gaulle se replie alors à *La Boisserie*, recevant peu et ruminant sa défaite : « J'ai été blessé en mai 68. Maintenant ils m'ont achevé. Et maintenant je suis mort. » C'est la rédaction de ses *Mémoires d'espoir* qui le sort de sa torpeur. Il y consacre le plus clair de son temps, obsédé par la crainte de ne pas les achever. Il part pour l'Irlande, puis en

**Sur la plage en Irlande (printemps 1969).**

1890
Naissance

1969
Démission

## Testament du général

Je veux que mes obsèques aient lieu à Colombey-les-deux-Églises. Si je meurs ailleurs, il faudra transporter mon corps chez moi, sans la moindre cérémonie publique.

Ma tombe sera celle où repose déjà ma fille Anne et où un jour reposera ma femme.

Inscription : « Charles de Gaulle, 1890- ... ». Rien d'autre.

La cérémonie sera réglée par mon fils, ma fille, mon gendre, ma belle-fille, aidés par mon cabinet de telle sorte qu'elle soit extrêmement simple. Je ne veux pas d'obsèques nationales. Ni Président, ni ministre, ni bureau d'Assemblée, ni corps constitués. Seules les armées françaises pourront participer officiellement en tant que telles ; mais leur participation devra être de dimensions très modestes, sans musique, ni fanfare, ni sonnerie. Aucun emplacement réservé pendant la cérémonie, sinon à ma famille, à mes compagnons, membres de l'ordre de la Libération, au conseil municipal de Colombey. Les hommes et les femmes de

Le cercueil arrivant
devant l'église
de Colombey, le
12 novembre 1970.

France et d'autres
pays pourront,
s'ils le désirent,
faire à ma mé-
moire l'hommage
d'accompagner
mon corps jusqu'à
ma dernière de-
meure. Mais c'est
dans le silence
que je souhaite
qu'il soit conduit.
Je désire refuser
d'avance toute
distinction, pro-
motion, citation,
décoration,
qu'elle soit fran-
çaise ou étran-
gère. Si l'une
quelconque
m'était décernée,
ce serait en viola-
tion de mes der-
nières volontés.

Testament rédigé
le 16 janvier 1952,
in Charles de Gaulle,
Lettres, notes et
carnets, juin 1951 -
mai 1958, Paris,
Plon, 1985.

Espagne. Il projette un voyage en Chine pour l'année 1971. Mais le 9 novembre dans la soirée, alors qu'il est installé à sa table de travail, il pousse un cri et tombe dans le coma, victime d'une rupture d'anévrisme. Il meurt une demi-heure plus tard. Les proches sont prévenus dans la nuit. Pompidou n'est averti que quatorze heures plus tard. Voulant se rendre à *La Boisserie*, il essuie une réponse négative de madame de Gaulle. Les réactions en France et dans le monde se multiplient. Richard Nixon se dit « profondément bouleversé (…), la perte que subit la France est une perte que subit l'humanité. » L'enterrement donne lieu à une double cérémonie. L'une, officielle, à Notre-Dame de Paris en présence de plusieurs dizaines de chefs d'État venus de tous les continents. L'autre, familiale, avec les compagnons de la Libération qui, suivant les dernières volontés du défunt, portent le cercueil dans la tombe où « repose déjà (s)a fille Anne et où un jour reposera (s)a femme… »

1890
Naissance

1970
Décès

Chef d'une France combattante, père de la constitution de la Vᵉ République, Charles de Gaulle a profondément marqué son pays. Il a consacré sa vie au service d'une « certaine idée de la France » qu'il regardait comme « la princesse des contes ». Cette conviction l'a poussé à défendre la « grandeur de la France » en toute circonstance, parfois au mépris de la réalité des rapports de force. Ainsi, pendant la guerre, où il réussit à faire admettre son pays, pourtant vaincu et humilié, dans le rang des vainqueurs de 1945. De la même manière, il défendit ce rang dans le concert international à partir de 1958. Si de Gaulle a pesé sur le cours de l'histoire, il a été également un pragmatique qui a su parfois accompagner les événements, en acceptant la décolonisation par exemple.

Il a maintenu avec les Français, unanimes derrière lui au soir de la Libération, une relation exigeante et parfois chaotique. L'usage du référendum, à partir de 1958, lui a permis de mesurer régulièrement l'intensité du lien qui l'unissait à son peuple. En répondant par la négative au référendum de 1969, les Français ont mis fin à sa vie politique. Aujourd'hui encore, des partis et des hommes politiques se réclament de lui, se référant à son image plus encore qu'à ses idées. Mais le gaullisme peut-il vraiment exister sans de Gaulle ?

**22 novembre 1890 :**
Naissance à Lille.
Enfance à Paris.

**1898 :** Affaire Dreyfus.
Fachoda : Échec français au
Soudan.

10    **1900 :** Études secondaires
au collège de l'Immaculée-
Conception.

**1908 :** Collège Stanislas -
Préparation au concours de
l'école spéciale militaire de
Saint-Cyr.
**1909 :** Reçu au concours
d'entrée à Saint-Cyr.

20    **1912 :** Au 33e régiment d'infanterie d'Arras commandé
par Philippe Pétain.

**Août 1914 :** Début de la
guerre.
**Février - novembre 1916 :**
Bataille de Verdun.

**1917 :** Révolutions russes.

**1916-1918 :** Prisonnier en
Allemagne.

**11 novembre 1918 :**
Armistice.

30    **1920 :** Varsovie.
**1921 :** Professeur d'histoire
à Saint-Cyr.
Mariage avec Yvonne
Vendroux.
Naissance de Philippe.
**1922 :** Admis à l'École supérieure de guerre.
**1924 :** Naissance d'Élisabeth.
**1925 :** À l'état-major du
maréchal Pétain.
**1928 :** Naissance d'Anne de
Gaulle.

**1929 :** Vote de la construction de la Ligne Maginot.

40    **1931 :** Au secrétariat général
de la Défense nationale à
Paris.

**30 janvier 1933 :** Hitler
chancelier du Reich.

**1936 :** Victoire électorale du Front populaire.

**1937 :** 507ᵉ régiment de chars à Metz.
**1938 :** Parution de *La France et son armée* et brouille avec le maréchal Pétain.
**Septembre 1939 :** 4ᵉ division cuirassée en Alsace.

**Mars 1938 :** L'Allemagne annexe l'Autriche.

**Sept. 1939 :** L'Allemagne attaque la Pologne. Le 3, la France et l'Angleterre lui déclarent la guerre.

**6 juin 1940 :** Sous-secré-taire d'État à la Défense nationale à Paris.
**18 juin 40 :** *L'Appel* est pro-noncé sur les ondes de la B.B.C. à Londres.

**10 mai 1940 :** Invasion de la France par les troupes alle-mandes.
**14 juin 1940 :** Les Allemands sont à Paris, le gouverne-ment s'installe à Bordeaux. 16 juin : démission de Paul Reynaud auquel succède le maréchal Pétain. 17 juin : Pétain ordonne l'arrêt des combats.
**Août 1940 :** ralliement de l'A.E.F. (Afrique équatoriale française) à la France libre.
**23 septembre 1940 :** Échec des troupes anglo-gaullistes devant Dakar.
**3 juillet 1940 :** Mers-el-Kébir.

**Octobre 1941 :** Première rencontre avec Jean Moulin.

**Janvier 1942 :** Jean Moulin est parachuté en zone sud. Novembre 1942 : Invasion de la zone sud.
**Mai 1943 :** Création du C.N.R.

**8 novembre 1942 :** Débarquement anglo-américain en Afrique du Nord.

**Octobre 1943 :** Seul prési-dent du C.F.L.N. à Alger.
**Janvier 1944 :** Conférence de Brazzaville.
**Juin 1944 :** Président du Gouvernement provisoire de la République française à Alger.
**26 août 1944 :** Descente triomphale des Champs-Élysées à Paris.

**21 juin 1943 :** arrestation de Jean Moulin.
**6 juin 1944 :** Débarquement allié en Normandie.
**15 août 1944 :** Débarque-ment de la 1ʳᵉ armée du général de Lattre et des troupes alliées en Provence.
**25 août 1944 : Les F.F.I. et la 2ᵉ D.B. de Leclerc libèrent Paris.**

|     | Vie de Charles de Gaulle | France | Monde |
|-----|--------------------------|--------|-------|
|     | **1946** : Démission. Installation à Colombey-les-deux-Églises. Discours de Bayeux. **1947** : De Gaulle fonde le R.P.F. à Strasbourg. **1948** : Décès de sa fille Anne. | | **Février 1945** : Conférence de Yalta. **8 mai** : Capitulation allemande à Berlin. **1948-49** : Blocus de Berlin. |
| 60  | **1953-1958** : Retraite à Colombey-les-Deux-Églises. **1954** : Premier tome des *Mémoires de Guerre*. **Juin 1958** : Président du Conseil. Décembre : élu Président de la République. | **1954** : Début de l'insurrection algérienne. **1957** : Traité de Rome instituant la C.E.E. **Septembre 1958** : Nouvelle constitution approuvée par référendum. **1959** : Adoption du nouveau franc. **1960** : Semaine des barricades à Alger. Première bombe atomique française. | **1960** : J. F. Kennedy Président des États-Unis (assassiné en 1963). |
| 70  | **1962** : Échappe à un attentat au Petit-Clamart. **1965** : Réélu Président de la République. **1966** : Discours de Phnom-Penh **1967** : Discours à Montréal - « Vive le Quebec Libre ! » **Mai 1968** : Voyage en Roumanie. **1969** : Démission. | **1961** : Putsch des généraux à Alger. **1962** : Accords d'Evian. Référendum sur l'élection du chef de l'État au suffrage universel. **1966** : La France retire ses armées du commandement intégré de l'O.T.A.N. **Mai 1968** : Manifestations étudiantes et grève générale. **1969** : Les Français votent « non » au référendum sur la régionalisation et la réforme du Sénat. | **1962** : Crise des fusées à Cuba. **1967** : « Guerre des 6 jours ». La France condamne Israël. |
| 80  | **9 novembre 1970** : Décès du général de Gaulle. | | |

# Table des copyrights

| | | |
|---|---|---|
| couverture | ph © | Keystone |
| 4 | ph © | Youssouf Karsh/Camera Press/Gamma |
| 6-h, 6-m, 6-b | ph © | Bridgeman Giraudon/Archives de Gaulle |
| 8, 10, 12-h | ph © | Bridgeman Giraudon/Archives de Gaulle |
| 12-b | ph © | Archives P. de Gaulle |
| 14, 16, 18, 20 | ph © | Bridgeman Giraudon/Archives de Gaulle |
| 22, 23, 24-h | ph © | Bridgeman Giraudon/Archives de Gaulle |
| 24-b | ph © | Bridgeman Giraudon/Archives de Gaulle |
| 26-h | ph © | Institut Charles de Gaulle |
| 26-b, 28, 30 | ph © | Bridgeman Giraudon/Archives de Gaulle |
| 32/33 | ph © | Bridgeman Giraudon/Archives de Gaulle |
| 34 | ph © | Collection Viollet |
| 36 | ph © | Keystone |
| 38/39 | ph © | Keystone |
| 40 | ph © | Archives Hachette / ECPA |
| 42 | ph © | Cecil Beaton |
| 44 | ph © | Imperial War Museum |
| 46 | ph © | Keystone |
| 48-h | ph © | Archives Charmet / The Bridgeman Art Library © D. R. |
| 48-b | ph © | Keystone |
| 50-h | ph © | Archives Hatier |
| 50-b | ph © | Emmanuel Scorcelletti/Gamma |
| 52-h | ph © | ADAGP, Paris, 2003 |
| 52-b | ph © | C. JY. Labartette |
| 54 | ph © | AFP |
| 56-h | ph © | ADAGP, Paris, 2003 |
| 56-b | ph © | DITE / USIS |
| 58 | ph © | Lapi-Viollet |
| 60 | ph © | Gonzague Dreux/Institut Charles de Gaulle |
| 62 | ph © | Fondation de Gaulle  © D. R. |
| 64 | ph © | Bridgeman Giraudon/Archives de Gaulle |
| 68 | ph © | AFP/STAFF |
| 70-h | ph © | Keystone |
| 70-b | ph © | Dalmas/SIPA |
| 72 | ph © | AFP |
| 74 | ph © | Keystone |
| 77 | ph © | Cummings |
| 76 | ph © | Dalmas/SIPA |
| 78 | ph © | Tim |
| 80 | ph © | Keystone |
| 82 | ph © | Collection Vidal-Naquet/photo de Guy Crochet |
| 84-h | ph © | Bruno Barbey / Magnum |
| 84-b | ph © | Dalmas/SIPA |
| 86 | ph © | Le Campion/SIPA |
| 88 | ph © | AFP |
| 90 | ph © | Jean-Marie Marcel / La Documentation Française |

Iconographie : Hatier Illustration
Nous remercions la Fondation Charles de Gaulle pour son accueil et son  aimable collaboration.

## Dans la même collection :

Imprimé en France par I.M.E. 25110 Baume-les-Dames
Dépôt légal n°31398 Février 2003